네 인생을 주님께 걸어라

네 인생을
주님께
걸어라

| 최하진 |

규장

주님께 올인한
인생의 꿈과 용기

나는 아무도 거들떠보지 않던 중국의 허허로운 옥수수 밭에 믿음의 깃발을 꽂고 이곳에 하나님을 위한 학교를 세우게 해달라고 주님께 부르짖었다. 그 이후 하나님께서 기적처럼 나를 통해 그분의 이야기를 써 내려가셨다.

사실 나는 서른 살 문턱까지 나 자신에게, 그리고 썩어져갈 많은 것들에게 내 인생을 걸었다. 그때 나는 온갖 걱정과 두려움에 쫓기는 인생을 살았다. 그러나 점차 주님께 인생을 맡기다 보니, 점점 단순해져가고 걱정할 것이 없어져가는 나 자신을 발견하게 되었다. 물론 한순간에 그렇게 변하지는 않았다. 그러나 하나님의 지속적인 만지심으로 이제는 주님께만 내 인생을 건다.

주님께 인생을 거는 사람을 보면, 성경에 기록된 인물이나 그 후 기독교 역사에 기록된 인물 모두 자기를 버린 사람이다. 그리고 주(主)의 성령이 충만하여 주님만 좇는 사람이다. 그들에게는 단순성으로 대표되는 자유함이 있다. 그들은 세상을 이기는 분명한 푯대가 있어 오직 주님께로만 달려간다.

하나님께서는 나에게 예수께 인생을 거는 참맛을 알게 해주셨다. 예수께 인생을 걸면 내 것이 없어진다. 그리고 내 것 모두 주님의 것이기 때문에, 내가 주님의 완전한 소유가 되기 때문에 실패를 두려워할 이유가 사라진다. 꿈과 용기와 도전의 사람이 된다. 참 믿음을 가지게 된다.

믿음이란 어두운 가운데서도 하나님을 볼 수 있는 능력이라고 말할 수 있다. 하나님께서는 그 믿음을 통해 내가 감히 상상할 수 없는 큰일들을 내 인생 가운데 이루어가신다.

나에게 가장 크고 영광스러운 승리는 남들이 이루기 힘든 큰일을 성취하는 것이 아니다. 오히려 성령님께 항복하여 승리하는 영성(靈性)을 소유하며 성령의 파도를 타고 항해하는 것이다.

나는 아직 가야할 길이 멀다. 그러나 주님께 인생을 걸고 나의 생명을 조금도 귀한 것으로 여기지 아니한 사도 바울과 같이 달려갈 것이다.

나의 달려갈 길과 주 예수께 받은 사명
곧 하나님의 은혜의 복음 증거하는 일을 마치려 함에는
나의 생명을 조금도 귀한 것으로 여기지 아니하노라 _행 20:24

이 책을 통해 나의 깨달음과 결단, 그리고 하나님께서 부어주신 은혜들을 나누고 싶다. 솔직히 독자들이 나보다 더 많은 체험을 했을지 모르기 때문에 떨리기도 한다. 그러나 아직 예수께 인생을 걸지 않았거나, 반쯤만 걸고 있는 독자가 있다면, 이 책이 도움이 되었으면 한다. 확신하건대 이 책을 통해 하나님은 나에게 주셨던 감동과 은혜를 독자들에게 동일하게 나눠주실 것이다.

끝으로, 나의 선교지가 중국이기 때문에 신분의 안전을 위해 이 책에 나오는 인물들의 이름은 몇몇 분을 제외하고는 거의 가명을 사용했음을 밝혀둔다.

주님께서 부르신 축복의 땅에서

최하진

내 목숨을 얻으려고, 세상 것을 잃지 않으려고 발버둥 치는 내 모습을 주님께서는 내려다보고 계셨다. 주님은 그분을 위해 목숨을 걸 때 오히려 그 목숨을 얻게 해주시겠다고 분명하게 말씀하셨다. 그 약속을 믿을 때 내게 평안과 자유로움이 밀려왔다. 그것은 세상이 줄 수 없는 것이었다.

썩을 것에 인생을 거는 1부
어리석음을 멈추다

chapter 01

나의 사망을 선포하면 주님께서 책임져주신다

공산주의로 수십 년 동안 복음이 자유롭게 전해질 수 없었던 중국, 그곳의 한 대학교에 교수로 첫 출근을 하면서 나는 나의 숨은 직책을 떠올리며 크게 심호흡을 한번 해보았다. '전문인 선교사', 선교지에서 전문적인 일을 하면서(나의 경우에는 학생들을 가르치면서) 복음을 전하는 그리스도인이 이제부터 나의 숨은 이름이요, 중국에서 내가 살아야 할 삶의 모습이었다.

당시 나는 한국에서 화학공학 박사학위를 받고 한국과 미국에서 연구원으로 일하다가 중국으로 건너갔다. 그리고 그곳 학교에서 학생들을 가르친 첫해, 나는 주님께서 예비해두신 사랑하는 나의 제자들을 만나 주님을 전하게 되었다. 이제 그들은 내 믿음의 후배요 평생의 동역자가 되어 있지만, 처음에 우리는 심적(心

的)으로 아주 먼 곳에 떨어져 있었다.

어느 날 나는 점심시간에 학교 식당에서 식판을 앞에 놓고 고개를 숙여 기도하다가 가까운 테이블에서 내 지도학생인 류바이진과 후앙밍밍 등이 서로 주고받는 소리를 들었다.

"야, 저 선생 뭐하는 거냐? 왜 식사는 안 하고 고개 숙이고 있지?"

"기독교인들은 식사할 때 먼저 기도를 한다고 하던데, 저런 게 기도하는 거구나!"

"공학박사라는 사람이 허황된 것에 미쳐 있다니…. 쯧쯧, 안 됐어."

기독교인들을 별로 만나보지 못했던 학생들은 내가 기도하는 모습이 신기하기도 했고 불쌍하기도 했던 것 같다. 나는 스스로가 세상이라는 마약에 중독되어 있는 줄도 모르고 수군대는 그들의 대화를 들으면서 마음속으로 이렇게 기도했다.

'하나님, 어서 속히 저 불쌍한 영혼들을 구원해주소서. 저들은 하나님이 누구신지 전혀 모릅니다.'

그러나 나 역시 그들과 크게 다를 것 없는 시간이 있었다. 하나님이 누구신지 전혀 모르는 것은 아니었지만, 하나님께서 원하시는 인생이 아니라 내가 원하는 인생을 살고 있을 때가 있었다.

데라 같은 인생의 결말

교회에서 모태신앙을 "이것도 못해, 저것도 못해"라는 말만 늘어놓는다는 의미에서 '못해신앙'으로 장난삼아 부르기도 하는데, 선교사로 헌신하기까지 나의 신앙이 딱 그러했다. 나는 모태신앙이 아니라 '못해신앙'에서 출발해서, 평신도가 아니라 그보다 못한 '병신도'로, 진짜 집사가 아니라 나일론 믿음을 가진 '나집사'로 살았다. 한마디로 '발목신자'였다. 즉, 발목 아래만 교회라는 물에 담그고 발목 위의 온몸은 세상과 접하며 세상을 사랑하며 사는 엉터리 신자였다.

그러다가 '광팔이'라는 별명까지 얻게 됐는데, 1989년 만 스물여덟 살의 나이로 KAIST에서 박사학위를 받고 대덕 연구단지에서 연구원으로 일할 때였다. 당시 연구원들은 퇴근 후에 가끔 동양화와 서양화 그룹으로 나뉘어 취미활동을 하고 있었다. 동양화란 고스톱이라는 화투 놀이, 서양화란 포커 카드놀이를 말하는데, 나도 한번 해봐야겠다 싶어서 동양화를 선택했다. 그런데 노상 돈을 잃기만 해서 어떻게 하면 돈을 딸 수 있을까 연구하다가 얻은 결론이 광을 파는 것이었다. 그때 얻은 별명이 광팔이였다.

그러던 어느 날 여느 때처럼 광을 팔고 집으로 돌아오다가 문득 이런 생각이 들었다.

'정말 이렇게 살아도 되는 걸까?'

갑자기 찾아온 불안감에 나는 집에 돌아와 웬일로 성경을 읽어보기로 했다. 지금 돌이켜보면 세상을 사랑하는 일에 목숨을 건 나를 하나님께서 긍휼히 여기셔서 주님의 말씀으로 인도하신 것이었다.

나는 창세기를 펼쳐 읽어나가기 시작했다. 하나님께서 아브라함을 부르시는 장면이 나왔다. 그러나 별 흥미가 없었다. 아브라함 이야기는 어릴 때부터 귀가 따갑게 들어왔던 이야기이기 때문이었다.

사실 나는 그전까지 교회 예배시간에 설교 본문이 창세기 12장 1절 "여호와께서 아브람에게 이르시되 너는 너의 본토 친척 아비 집을 떠나 내가 네게 지시할 땅으로 가라"이면, 목사님이 설교를 시작하시자마자 눈을 감고 잠을 청하는 것이 다반사였다. 들어봤자 결론이 빤하다고 생각했기 때문이었다.

그러나 그날 나의 눈을 열게 한 사람이 있었다. 바로 아브라함의 아버지, 데라였다. 그는 그의 식솔을 데리고 갈대아 우르를 떠나 가나안으로 가던 중 하란에 와서 정착했다. 그런데 그곳에서 그대로 머물러 살다가 죽었다. 목적지는 가나안이었는데 중간에 하란에서 죽은 것이었다. 창세기에서 모세는 데라의 마지막에 대해 이렇게 기록하고 있다.

데라는 이백오 세를 향수하고 하란에서 죽었더라 _창 11:32

사실 나는 그때 고스톱 말고도, 직장 선배 연구원들을 따라다니면서 아주 비싸고 비싼 명품 오디오 세트를 장만하는 취미에 빠져 있었다. 그리고 주중에는 골프에 미쳐서 어떤 때는 연구하는 시간도 미뤄가며 골프에 한참 열을 올리고 있었다. 또 주말에는 가족과 함께 산과 바다를 찾아다니면서 인생을 즐기려고 버둥거리고 있었다. 그런데 그 구절을 묵상하는데 자꾸 두 단어가 반복되는 것이었다.

"데라 … 죽었더라, 데라 … 죽었더라, 데라 … 뒈졌더라."

어느새 '죽었더라'라는 단어가 '데라'와 합쳐지면서 '뒈졌더라'로 변해가고 있었다. 그리고 나 자신의 모습이 보이기 시작했다. 낮에는 대덕 연구단지에서 점잖고 지적인 전문 과학자로 있지만, 밤에는 그 옆의 유성이라는 관광도시에서 유흥의 물결에 휩쓸려 여기저기를 기웃거리며 밤거리를 탐닉하고 싶어 하는 내 모습이 보였다.

나는 어느덧 데라의 삶에 나 자신을 투영하기 시작했고, 앞으로도 이처럼 산다면 맞게 될 내 인생의 결말을 보았다.

"최하진은 80세를 향수하고 유성에서 골프공에 뒤통수 맞고 뒈졌더라."

안전지대 vs. 신앙지대

그때 나는 '죽는' 인생이 아니라 '뙈져버리는' 인생이 되어가는 나를 발견했다. 나는 데라 할아버지가 고맙기 그지없다. 데라 할아버지가 아니었다면, 나는 어쩌면 지금까지도 여전히 무언가를 향유하는 데 시간과 정력을 소진하며 인생을 낭비하고 있었을지 모른다.

나의 모습을 발견하게 되면서, 아브라함도 다시 보이기 시작했다. 은혜가 되려야 될 수 없었던 창세기 12장 1절에서 하나님은 나의 두 눈을 때리기 시작하셨다.

> 너의 본토 친척 아비 집을 떠나 내가 네게 지시할 땅으로 가라
>
> _창 12:1

내 왼쪽 눈에는 '떠나'라는 단어가, 오른쪽 눈에는 '가라'라는 단어가 확 들어왔다. 나는 감전(感電)이라도 된 듯 잠시 동안 멍한 상태에서 헤어나지 못했다. 하나님께서 나에게 말을 건네기 시작하셨다.

"하진아, 떠나라."

"어딜 떠나라는 말씀입니까?"

"거기로부터 떠나라고!"

"거기? 어디를 말씀하시는 거예요?"

"네가 지금 빠져 있는 것이 무엇인지 생각해봐라."

"제가 집착하는 거요? 골프? 아니면 유흥가? 아니면 출세? 아니면 연구 업적 쌓기? 아니면 부동산 투자? 아니면 내 가족?"

순간 나는 '아하! 떠난다는 것이 지리적 장소로부터 떠나라는 의미도 있지만, 내가 내 마음을 두고 있는 곳, 그곳으로부터 떠나라는 의미도 있구나!'라고 깨닫게 되었다. 나는 그때 성공에 대한 집착과 탐욕에 둘러싸여 있었고, 그것들에 완전히 빠져 있었던 것이다. 하나님께서는 계속 나를 깨우치셨다.

"그래, 맞아. 네가 머물고 있는 곳은 바로 죽음이라는 결과를 낳는 곳이다."

"하나님, 저를 용서하세요. 이런 것이 덧없음을 어렴풋이 알면서도 저는 믿지 않는 다른 사람들과 똑같이 그 가치관에서 헤어나지 못했습니다. 예, 지금 떠나겠습니다. 이곳에 머물지 않겠습니다."

"떠나는 것이 해결되면 넌 어디든지 갈 수 있을 거야. 어디를 가기 위해서 먼저 행해야 할 것은 지금 있는 곳을 떠나는 일이야. 떠난다는 것은 결국 나를 바라본다는 얘기지. 너의 안전지대에 초점을 맞추는 것이 아니라 신앙지대를 바라본다는 것이다. 갈 곳은 내가 보여줄 테니 넌 따라오기만 하면 돼."

하나님의 말씀은 정말 살아 있었다. 힘이 있었다. 어떤 양날 칼보다도 날카로웠고, 내 속을 꿰뚫어 혼과 영을 찌르고 관절과 골수를 쪼개놓기에 충분했다. 그분의 말씀은 내 마음에 품은 자아(自我)를 위한 생각과 의향을 가려내어 나를 수술하였다. 나는 변해가기 시작했다. 그저 주일신자, 발목신앙인으로부터 일주일 내내 예배드리는 자로 바뀌어가기 시작했다.

축복을 흘려보내는 통로 인생

그 무렵 내게는 한 가지 소원이 생겼다. 주님을 위해 내 평생한 명만이라도 전도를 해봤으면 좋겠다는 소원이었다. 부끄러움을 무척 많이 탔던 나에게는 박사 되는 것보다도 훨씬 더 이루기힘들 것 같은 소원이었다.

그래도 만만한 게 카이스트 후배 연구원이라, 후배 한 명을 전도대상자로 삼고 열심히 기도했다. 그리고 같이 연구하고 함께 출장을 다니면서 그에게 틈틈이 내 간증을 말해주곤 했는데, 놀랍게도 그 후배가 예수를 믿기로 작정했다. 내 인생의 첫 번째 전도 열매였다. 그 짜릿한 기쁨은 정말 대단한 것이었다. 또 그가 변해가는 모습을 옆에서 지켜보는 것은 그 어떤 것으로도 대체할 수 없는 행복이었다.

그전까지 나는 세상 것을 향유함으로 스스로 만족을 얻고 뿌

듯함을 느끼고 싶었다. 아니 더 솔직해진다면, 좀 편하게 살고 싶었다. 세상 것들이 내 인생의 보험이라고 생각했다. 노후대책과 행복을 위해서는 젊을 때 열심히 세상 것들을 축적해야 한다고 생각했다. 그러나 그러한 인생은 저장고 같은 인생일 뿐이다. 많은 사람들에게 성공이란 자기 혼자서 수천수만 명분을 소유하는 것이지만, 진짜 성공은 자기로 말미암아 수천수만 명이 사는 것이다.

땅의 모든 족속이 너를 인하여 복을 얻을 것이니라 _창 12:3

지금 나는 예전에는 지루하게만 느꼈던 아브라함에게 주신 이 말씀을 너무너무 좋아한다. 이 말씀에서 말하는 인생이 자기로 말미암아 수천수만 명이 사는 인생, 행복을 흘려보내는 통로와 같은 인생이기 때문이다. 나는 그리스도인 모두가 정체된 사해(死海)와 같은 '저장고 인생'이 아니라 갈릴리 바다와 같은 흘려보내는 '통로 인생'이 되기를 소원한다.

인생을 즐기면서 헛된 것에서 삶의 행복을 찾으려던 나에게 하나님은 영혼 구원의 기쁨이 무엇인지를 깨닫게 해주셨다. 그리고 '한 명만'이라도 전도해보고 싶다던 나를 13억이라는 인구가 있는 중국으로 이끌고 가셨다. 어느 누가 측량할 수 있으리오, 사랑하는 자신의 백성들을 향하신 하나님의 그 놀랍고도 광대하신 계획을.

누리끼리한 팸플릿 한 장

전도의 소원을 이루고 얼마 지나지 않아, 하루는 어느 대학에 몸담고 있는 선배를 만났다. 그런데 그가 누리끼리한 팸플릿 한 장을 내미는 것이었다. 받아서 펼쳐 보니, 중국의 한 대학교에서 교수로 일할 전문인 선교사를 모집한다는 내용이었다. 순간 나는 내 속에서 뜨거운 불길이 이는 것을 확실히 감지할 수 있었다. 그때 가슴에 일었던 그 형용할 수 없는 불길을 나는 아직까지도 생생히 기억한다. 그 불길은 도무지 사그라질 생각을 않고 이상하게도 시간이 지날수록 오히려 점점 더 활활 타올라갔다.

물론 선교사로 중국에 간다는 것이 그리 쉬운 문제는 아니었다. 내게는 가족을 부양할 책임이 있었고, 인간적인 계산으로는 버리고 떠날 수 없는 많은 것들이 있었으니 말이다.

그러나 서른 살 문턱에서 나는 더 나이 들기 전에 꼭 한 번은 1년 정도 시간을 구별하여 하나님께 드리면서 선교를 해보고 싶었다. 그래서 하루 날을 잡아 조심스럽게 아내의 의사를 타진했다.

"여보, 나 선교 좀 갔다 오면 어떨까?"

아니나 다를까, 아내는 펄쩍 뛰었다.

"당신, 미쳤어요? 난 죽었다 깨어나도 안 가요. 그저 심심해서 방귀 뀐 소리였다고 생각할 테니 다시는 입 밖에도 내지 말아요!"

그래도 내 마음속의 불길은 조금도 수그러들지 않았다. 하나님을 위해 무언가 해야 한다는 생각만이 내 머릿속에 가득했다. 내 힘으로는 나 자신을 도무지 주체할 수 없을 정도였다. 나는 난생 처음 내 미래를 놓고 하나님 뜻을 여쭈었고, 하나님께서는 계속해서 내 안에서 거룩한 열정이 타오르게 하셨다.

그러다가 어느 날 나도 모르게 내 발길은 '한국 전문인 선교 훈련원'(GPTI)으로 향했고, 아내의 적극적인 만류에도 불구하고 나는 선교훈련을 받기 시작했다. 하나님께서 인도하신 것이었다. 분명 하나님께서 인도하셨다. 아내의 반대에도 불구하고 내 마음이 세상이 줄 수 없는 평안으로 가득했으니 말이다.

아내는 나의 이런 행동에 겁을 먹기 시작했다. 그러던 어느 날 참으로 예상치 못한 일이 벌어졌다. 아내가 갑자기 이런 말을 하는 것이었다.

"아무래도 당신 생각에 하나님의 뜻이 있는 것 같아요. 어제 기도하는데 갑자기 어릴 때의 교회 주일학교 선생님이 보이면서 요나에 대한 설교를 하는 거예요. 나는 어리석은 요나가 되고 싶지는 않아요. 당신이 정 가겠다면 따라갈게요. 하지만 솔직히 너무 겁나요."

그 후 나는 아내가 자기 자신과 씨름하는 것을 확연히 볼 수 있었다. 아내는 주님의 뜻과 자신의 뜻 사이에서 갈등하며 고민하고 있었다. 나는 아내가 변화될 것을 그저 묵묵히 기다리며 아내를 위해 기도할 수밖에 없었다.

'하나님께서 저를 부르셨다면 아내도 기쁨으로 갈 수 있게 해주세요.'

그런데 나는 처음에 1년만 선교를 가야겠다고 생각했는데, 기도하면 할수록 1년은 너무 짧다는 생각이 들었다. 그래서 이왕 하는 것, 현역병처럼 3년 정도 다녀오겠다는 기도를 시작했다. 그리고 헌신 기간을 놓고 끊임없이 아내와 대화를 나누었다. 결국 아내도 3년에 동의했다.

굴러들어온 꿀호박보다 더 가치 있는 것

그러나 문제가 하나 더 있었다. 당시 나는 미국의 스탠포드대학교와 공동연구에 대한 이야기가 오고가는 가운데, 이미 그곳으로부터 초청장을 받아놓고 있는 상태였다. 게다가 대덕의 연구소는 우리 가족이 미국에서 지내는 생활비까지 지원해주기로 결정했다. 그런 결정은 연구소가 설립된 이래 처음 있는 일이라고 했다. 하나님이 참 얄궂으시다는 생각에, 나는 하나님께 푸념을 늘어놓았다.

'좀 쉽게 갈 수 있도록 해주시면 어디가 덧납니까? 꼭 이렇게 고민하게 만드셔야 합니까? 모처럼 나를 헌신해서 하나님 일 좀 해볼까 하는데, 하필이면 꼭 요런 상황에서 갈등하게 하십니까? 가자니 굴러들어온 꿀호박이 아깝고, 눌러앉자니 그동안 고민하고 결단한 게 아깝잖습니까?'

나는 답답한 마음으로 성경을 펼쳤다. 그리고 말씀을 읽어 내려가다가 마태복음 10장 39절에 이르러 몸이 얼어붙는 것만 같은 소름이 끼치는 것을 느꼈다.

자기 목숨을 얻는(얻고자 하는) 자는 잃을 것이요
나를 위하여 자기 목숨을 잃는 자는 얻으리라 _마 10:39

내 목숨을 얻으려고, 세상 것을 잃지 않으려고 발버둥 치는 내 모습을 주님께서는 내려다보고 계셨던 것이다. 내가 진정으로 목숨을 얻으려면 예수님을 위해 목숨을 내놓아야 한다는 걸 확인한 순간이었다. 사람마다 자기 인생을 바꿔놓은 한마디 말이나 인생의 구호 같은 것이 있을 텐데, 나에게는 이 말씀이 그러했다.

나는 주님께 나 자신에 대한 '사망 선언'을 했다. 그리고 인생의 황금기인 30대를 드리기로 했고, 연구소를 사직하는 쪽으로 마음을 정했다. 주님을 위해 목숨을 걸 때 오히려 그 목숨을 얻게 해주시겠다고 주님께서 분명하게 약속하셨기 때문이었다. 그러자 평안과 자유로움이 밀려왔다. 그것은 세상이 줄 수 없는 평안이었다. 손에 쥐고 있던 것을 미련 없이 버린 자만이 누릴 수 있는 하늘의 기쁨이었다.

나는 마음이 온유하고 겸손하니 나의 멍에를 메고 내게 배우라 그러면 너희 마음이 쉼을 얻으리니 _마 11:29

빈손을 붙드시는 하나님

"여보, 이제 결단합시다. 직장을 정리하기로."

고심 끝에 아내는 나의 사직 결심에 동의했다. 나는 곧바로 연구소장을 찾아갔다. 사식서를 내밀자 소상님은 의아한 눈빛으로 나를 쳐다보셨다. 그러나 나의 단호한 눈빛을 보시고 마지막으로 내게 이런 제안을 하셨다.

"좋다. 네 의사를 존중하겠다. 나도 기독교인이지만, 정말 쉽지 않은 결정을 했구나. 내가 마지막으로 너를 배려해주고 싶은데, 사직보다는 휴직을 하고 가면 어떻겠니? 네가 원하기만 하면 언제든지 한국에 돌아올 수 있는 안전장치를 만들어주마."

전혀 생각해보지 않은 휴직 처리 제안에 내 귀는 순간 솔깃해졌다. 나는 소장님께 일주일만 시간을 달라고 했다. 솔직히 처음에는 갈등이 심했다. 그러나 하루 이틀 지나면서 한 발은 세상에, 다른 한 발은 하나님나라에 양다리를 걸치고 있는 못난 내 모습을 보게 되었다. 휴직이라는 것이 안전장치가 아니라 족쇄로 보이기 시작했다.

나는 죽으면 죽으리라는 각오를 하고 다시 소장님을 찾아가 최종 결심을 말씀드렸다. 그리고 동료들의 "최 박사 미쳤다"라는 소리를 뒤로한 채 연구소 정문을 빠져나왔다. 하늘을 올려다보았다. 눈이 부시게 푸르른 날이었다. 나는 하늘을 향해 외쳐댔다.

"하나님, 이제 망해도 하나님 때문이고, 흥해도 하나님 때문입니다. 그러니 알아서 하십시오. 포기할 수 있는 것은 이제 다 포기했습니다. 전 이제 아무것도 없어요. 빈손이에요. 이제부터는 어떤 상황이 오더라도 하나님만 의지하겠습니다. 하나님!"

그때 나를 붙들고 있는 것은 오직 하나님의 손뿐이었다. 내 손에 쥐었던 모든 것을 놓고 나니 그 빈손을 하나님께서 붙들어주셨다.

chapter 02

두려움에 쫓기는 인생에서
주님을 좇는 인생으로

나는 연구소를 사직했으나, 곧바로 중국으로 갈 수는 없었다. 이미 스탠포드대학교와 공동연구를 진행하기로 약속했는데, 갑작스럽게 약속을 파기하고 관련된 사람들에게 불편을 끼치는 것은 신앙인으로서 할 도리가 아니라는 생각이 들었기 때문이다. 나는 1년 정도 연구를 수행한 후에 중국으로 가기로 결심하고 가족과 함께 미국으로 건너갔다. 이미 한국의 연구소에 사표를 낼 때 생활비 지원을 포기했기 때문에, 살고 있던 집을 팔아서 돈을 가지고 갔다. 그 돈도 나중에 중국에서 제자들을 먹이고 돌보는 데 쓰느라 금세 바닥이 났지만 말이다.

미국에서 체류하는 동안 우리 가족은 은혜로운 시간을 가졌다. 우리는 산호세에 있는 교회에 등록하여 성경공부를 하면서 중국으로 들어가기 위한 준비를 열심히 했다. 그런데 그때까지도 아내는 머리로만 중국 선교에 동의했지, 마음으로는 확정을 내리지 못했다. 아내는 불안과 초조감을 늘 품고 있으면서 가끔 내게 중국에 안 가면 안 되느냐고 묻곤 했다. 어떤 때는 꼭 중국으로 가지 않아도 선교하는 방법이 있다고도 말하는 등 변덕을 부렸다.

아내의 마음을 조금이라도 편안하게 해주기 위해 집 안 청소는 거의 내 차지였는데, 진공청소기를 돌릴 때마다 나는 늘 이렇게 기도했다.

'하나님, 카펫에 있는 먼지나 휴지 조각들을 청소기로 모두 빨아들이듯이, 제 마누라 마음속에 있는 세상에 대한 미련, 미래에 대한 걱정 등을 제발 쏙쏙 빼주시기 바랍니다.'

그렇게 3개월쯤 지났을까, 하루는 아내가 주일예배를 마치고 집에 오더니 밝은 표정을 지으며 이렇게 말하는 것이었다.

"하나님 일을 하겠다고 하면서 이것저것 계산한 나 자신이 부끄러워요. 이제 더 이상 나에게 계산이란 없어요. '너희는 먼저 그의 나라와 그의 의를 구하라 그리하면 이 모든 것을 너희에게 더하시리라'라고 주님께서 말씀하셨는데, 내가 염려해서 되겠어요?"

하나님의 놀라운 역사였다! 그날 주일예배 시간에 교회 목사님이 마태복음 6장 33절 말씀을 본문으로 설교하셨는데, 그 말씀이 아내의 가슴에 와 박힌 것이었다.

　나는 그동안 마음고생 하느라 수고한 아내의 등을 토닥여주면서 하나님께 감사했다. 이런 날이 오기만을 기다려왔는데, 하나님께서 드디어 아내의 갈등에 마침표를 찍어주신 것이었다.

　며칠 뒤 아내는 특별한 체험을 하게 되었고, 그 일을 계기로 나보다 더 성령 충만해졌다. 그리고 틈만 나면 자신의 변화에 대하여 사람들과 간증을 나누곤 했는데, 아내의 간증에 관한 재미있는 사건이 하나 있다.

　어느 주일에 교회에서 예배를 마치고 우리 부부와 교인들이 교회 앞에 있는 야자수 그늘 밑에서 담소를 나누고 있을 때였다. 저 멀리서 목사님이 걸어오시더니 수요 저녁예배 때 간증을 해줄 수 있느냐고 아내에게 물으셨다. 아내는 깜짝 놀라 하면서 그렇지 않아도 지금 막 하나님께 '이렇게 하나님 때문에 행복한데 이 마음을 다른 사람들과 나누고 싶어요'라고 기도했는데, 바로 기도 응답을 받았다며 기뻐했다. 그렇게 죽을 각오로 중국 선교를 반대하던 사람이 하나님의 은혜로 열렬한 지지자로 변해 있었다.

　아내는 수요예배 때 이런 내용을 간증했다.

　나는 한국에서 살 때는 씀씀이가 꽤 컸다. 쇼핑을 너무 좋아해 압구정동에 있는 유명 백화점의 우대고객이 되었을 정도였다. 그리고 가정부 아주머니를 고용해서 거의 부엌 일을 안 하고 살았다. 그러나 요리를 잘하는 손은 타고난 것 같다. 친정 엄마와 언니들이 아주 쉽고 빠르게 맛있는 음식을 만드는 재주가 있는데, 나도 그런 유전자가 있는지 한번 요리를 하면 무척 잘했다. 미국에 와서는 가정부를 둘 수 없으니 손수 요리를 하게 되었다.

미국에 온 후로 나는 솔직히 어떻게 하면 중국 선교를 안 갈 수 있을까 하는 생각만 하며 살았다. 그러다가 어느 주 일예배 때 "너희는 먼저 그의 나라와 그의 의를 구하라 그리하면 이 모든 것을 너희에게 더하시리라"라는 말씀을 듣고 완전히 깨지고 말았다. 하나님께서는 내가 기쁨으로 중국에 갈 수 있도록 나의 마음을 만져주셨다.

그러고 나서 며칠이 지난 어느 날 오후였다. 딸 은혜는 유치원에, 남편은 학교에 가 있었고, 나는 찬양 테이프를 틀어놓고 음악을 들으며 저녁밥을 짓기 위해 쌀을 씻고 있었다. 그런데 갑자기 뒤에서 누군가가 나를 포근히 안아주는 것을 느꼈다. 순간적으로 천사의 날개깃으로 나를 품어주는 것 같았다. 나는 정말 황홀하고 평안해서 무아지경에 빠졌다. 그때 내 귓속에서 이런 음성이 들려왔다.

"내가 너를 사랑한다. 내가 너를 사랑한다."

그 순간 나는 너무나 놀라서 뭔가 잘못 들은 것이 아닌가 하여 주위를 두리번거렸다. 아무도 보이지 않았지만 하나님께서 함께 계시는 걸 느낄 수 있었다. 그리고 그 음성은 내가 안정된 생활을 떠나 미래가 불투명한 삶을 살아야 할지라도, 또 중국에 가서 선교사의 아내로서 사람들을 위해 얼마나 많은 쌀을 씻어야 할지 모르지만, 하나님께서 함께 하실 것이라는 약속이었다.

이제 나는 사람들에게 자랑스럽게 이렇게 말한다.

"나는 중국에 가르치러 간다기보다는 밥하러 갑니다!"

고강도 적응 훈련

마침내 1993년, 우리 부부는 유치원에 다니던 딸, 은혜를 데리고 중국으로 들어갔다. 그리고 조그마한 아파트를 얻었는데, 그 집은 비만 오면 천장과 벽면에서 빗물이 새고 온 집 안이 습기로 가득 찼다. 수도를 틀면 흙탕물이 나오고 때로는 지렁이가 나올 때도 있었다. 우리에게는 결코 쉽지 않은 고강도 적응 훈련이 시작되었다.

어른들도 바뀐 환경에 적응하기가 힘들었는데, 어린 은혜는 오죽했을까. 은혜는 새로 다니게 된 중국 학교의 화장실에 적응을 못하고 화장실 가기를 두려워했다. 재래식 화장실에서 양변기 대신 깊고 어두운 구멍을 내려다보면 그 구멍 안으로 빠질 것 같아 무섭다고 했다. 은혜는 학교에 있는 네 시간 내내 볼일을 참다가 노래진 얼굴로 집으로 돌아오곤 했다.

그러던 어느 날 일이 터지고야 말았다. 은혜가 학교에서 옷에 똥을 싼 것이었다. 아침에 학교에 도착했을 때부터 변이 마려웠는데 참다가 그냥 옷에 싸버린 것이었다. 그렇다고 말이 잘 안 통하는 중국인 선생님에게 사정을 이야기하지도 못하고 아이는 그냥 그 상태로 네 시간을 버티고 집에 돌아왔다.

나는 한겨울에 난방도 잘 안 되는 중국 학교에서 젖은 옷을 입고 추위에 벌벌 떨면서 똥 냄새와 사투를 벌였을 딸을 생각하니, 딸에게 너무 미안했다.

그런데 그때 내 아내가 딸에게 하는 말을 듣고 나는 나보다 아내가 훨씬 더 나은 선교사라는 생각이 들었다.

"은혜야, 엄마 아빠는 여기 중국에서 죽을지 몰라. 우리는 죽을 때까지 중국의 언니, 오빠들을 가르치고 복음을 전하면서 살 것 같은데, 너도 우리 가족이니까 어떻게 해서든지 적응해야 하지 않겠니."

아내의 말에 은혜는 잠시 생각해보더니 고개를 끄덕였다. 그런 아내와 딸을 보면서 나는 최고의 동역자를 주신 주님께 진심으로 감사했다.

마음을 열기 위한 고투

나는 주님께서 부르신 중국의 대학교에서 사명을 실천해나가기 시작했다. 나는 그 대학교에서 만난 학생들에게 예수님을 전하길 원했다. 그러나 갑작스럽게 학생들에게 다가가 예수 믿으면 천국 가고 믿지 않으면 지옥 간다고 말하기보다는 그들의 마음 밭을 복음이 견고히 뿌리내릴 수 있는 '좋은 마음 밭'으로 가꾸는 일을 먼저 시작하고 싶었다.

나는 학생들에게 다가설 기회를 엿보다가 때마침 찾아온 추석 명절에 학생들이 머무는 기숙사에 과일과 과자 등을 들고 찾아갔다. 그리고 방마다 과일과 과자 등을 넣어주다가, 류바이진을 비롯한 내 지도학생들이 생활하는 기숙사 방에 이르렀다. 그들은 얼마 전 학생 식당에서 내가 기노하는 모습을 보고는 내가 불쌍하다며 혀를 쯧쯧 차던 학생들이었다. 그들은 나의 등장에 깜짝 놀라는 듯했으나 가져간 음식과 내 미소를 보고는 경계를 풀었다. 이때를 내 제자 후앙밍밍은 이렇게 회상한다.

"그때 낯선 사람이 따뜻한 관심을 보이는 것이 놀라웠지만, 기독교에 대한 반감은 금방 사라지지 않았어요. 제가 배워온 종교란 객관 사물에 대한 왜곡된 반응이고, 정신적 마취제이며, 지식 계급이 자기들의 통치 수단으로 만들어낸 것이었기 때문이에요. 사실 처음에 최 교수님이 기도하는 모습을 봤을 때는 소름 끼칠 정도로 무서운 감이 들었어요. 지식이 많은 사람이 너무 순진하다고 마음속으로 나무라기도 했고요."

하지만 나는 그 반감을 없애고 싶었다. 그래서 얼마 뒤 그들을 우리 집으로 초청했다. 비록 작고 초라한 아파트지만 우리 집을 주님의 복음을 전하고 친교를 나눌 아지트로 삼은 것이었다. 그리고 저녁식사를 함께하고, 내가 아는 게임이란 게임은 다 동원하여 가르쳐주면서 즐거운 시간을 보냈다. 그들은 어린아이처럼 깔깔거리며 시간 가는 줄 몰라 했다. 제자들이 즐거워하는 모습을 보면서, 나는 그들을 위해 그런 자리를 자주 마련해주어야겠다고 생각했다.

그 후 아내는 거의 매일 제자들을 위해 식사를 준비했는데, 한국에서 할 10년 치 요리를 중국에 와서 1년 만에 다 했다고 말할 정도였다.

그렇게 아내는 솥뚜껑 운전수로, 나는 기쁨조로 열심히 제자들과 함께 시간을 보냈다. 첫 학기가 그야말로 신선놀음에 도낏자루 썩어나가는 줄 모르게 후다닥 지나갔다. 이때까지 나는 제자들에게 예수님을 직접적으로 전하지 않고, 자연스럽게 예수님에 대한 궁금증이 일도록 집 안 곳곳에 예수 믿는 사람의 흔적을 일부러 흘리고 다녔다. 집에서 듣곤 했던 복음성가 음반들을 제자들이 올 때도 틀어놓았고, 성경이며 창조과학에 대한 책들도 식탁 위나

책상 위에 펼쳐놓곤 했다.

　그러다가 겨울방학이 시작될 무렵, 나는 제자들에게 아예 우리 집에서 같이 지내자고, 방학 동안에 영어를 가르쳐주겠다고 말했다. 제자들 중에 열다섯 명이 함께했다. 그들과 나와 나의 아내, 그리고 일곱 살짜리 내 딸 은혜의 공동생활이 그렇게 시작되었다. 나는 제자들에게 영어를 가르쳐주면서 자연스럽게 복음성가도 알려주고 진화론의 허점과 예수님에 대해서도 이야기했다.

　나는 공산주의 이데올로기로 큰 고통을 당했던 중국 땅에 기독교의 모자를 쓴 또 다른 이데올로기를 전하고 싶지는 않았다. 그래서 예수님을 전할 때 복음이 아닌 다른 어떤 이야기도 하지 않기 위해서 무척 노력했다. 나는 제자들에게 허상인 이데올로기가 아니라 신성한 생명을 넣어주고 싶었다. 예수 그리스도라는 생명만이 그들의 삶을 바꿔놓을 수 있다는 확신 때문이었다. 그렇게 노력하는 하루하루가 쌓여가면서 나와 아내의 정성에 결국 제자들의 마음이 열리기 시작했다.

　그해 겨울, 밤이면 거실과 방에 이불을 깔고 쭉 누워 잠자고 있는 제자들의 모습을 보면서 나는 얼마나 흐뭇하고 또 한편으로 그들의 영혼에 대한 생각으로 얼마나 안타까웠는지 모른다. 그래서 모두가 잠자고 있는 그 시간, 내 방에 들어가 제자들의 이름을 하나하나 부르며 애타는 심정으로 기도하지 않을 수 없었다.

"하나님, 류바이진을 구원해주소서. 하나님, 후앙밍밍을 구원해주소서. 하나님, 제발 저들의 영혼을 구원해주소서."

간첩 오해가 풀리다

그러던 어느 날, 류바이진이 혼자서 내 학교 사무실을 찾아왔다. 그러고는 대뜸 뜬금없는 질문을 던져 나를 약간 당황하게 만들었다.

"도대체 교수님은 누구십니까?"

"아니, 내가 누구라니? 난 네가 알다시피 네 선생 아니냐? 은혜 아빠이기도 하고…."

"아니요, 제 말은 왜 이곳에 오셔서, 왜 우리에게 이렇게 잘해주시는지 묻는 겁니다. 지난 6개월 동안 선생님과 사모님, 그리고 은혜를 보면서 생각한 건데, 저와는 전혀 다른 삶을 살아가는 게 도무지 이해가 되지 않는다, 이 말입니다."

"아, 그래…. 녀석도 참."

"어떻게 그렇게 매일 기뻐하실 수가 있습니까? 우리랑 같이 살려면 모든 게 불편하고 그럴 텐데. 더군다나 우리를 먹여주죠, 가르쳐주죠, 그리고 우리와 함께 놀아주죠. 교수님뿐만이 아니라 또 사모님은 어떻고요. 우리를 위해 아침 일찍 일어나 빵 굽고, 반찬 만들고, 옷까지 빨아주시고…. 한두 사람도 아니고 열다섯 사람을 위해서 한결같이…."

"우리는 그냥 너희와 함께하는 게 기쁠 뿐이야. 금전적인 행복을 찾아 사는 거 재미없더라. 그런데 가치를 찾아 사니, 삶이 행복해지더라."

"그게 이해가 안 간단 말입니다. 인간이 어떻게 그럴 수 있습니까? 돈 싫어하고, 출세 싫어하고, 명예 싫어하는 사람이 어디 있습니까? 교수님은 내가 갖고 있지 않은 뭔가를 가지고 있습니다. 도대체 그것이 뭔지 알고 싶습니다."

이 정도면 '익은 고구마' 아니겠는가. 푹 찔러야 되겠다는 생각이 들었다. 나는 마음속으로 성령님께서 도와주시기를 간구했다.

'성령님, 이 녀석에게 본격적으로 예수님을 소개할 텐데, 녀석이 마음 문을 열어 예수님을 받아들이게 해주세요.'

그리고 내 안에 있는 예수님을 그에게 설명하기 시작했다. 하나님의 창조 사역부터 시작해서, 왜 하나님이신 예수님이 이 땅에 인간으로 오셨는지 그 목적을 이야기해주었다.

"류바이진, 예수님이 이 땅에 오신 것은 왕으로 군림하시기 위해서가 아니야. 그분은 우리에게 섬김을 받기 위해서가 아니라 우리를 섬기러 오셨다고 말씀하셨어. 그분은 우리 죄를 용서하시기 위해 자기 목숨까지 내어주셨어."

류바이진의 눈빛이 반짝거렸다. 나는 그의 표정을 살피며 계속 말을 이었다.

"나는 그 예수님을 믿는 사람으로서 그분을 따르는 삶을 살고 싶었어. 교수로 취직해서 너희에게 존경받기 위해 여기에 온 게 아니야. 난 너희의 친구가 되고 싶고, 너희를 진짜 사랑으로 섬기고 싶어서 왔어. 내가 너희를 위해 목숨을 버릴 정도는 못 되겠지만, 우리를 위해 목숨을 내어주신 예수님의 사랑만은 알려주고 싶었어. 그게 다야."

류바이진이 고개를 끄덕이며 말했다.

"그러셨군요. 난 처음에 교수님이 간첩으로 밀파된 건 줄 알았어요. 그것도 모르고…. 모든 것이 하나님의 사랑에서 나온 거였군요. 너무 미안하고… 감사해요."

"짜식, 내 진심을 알아줘서 고맙다."

나는 요한복음 3장 16절 말씀을 풀어주며 예수 믿는 사람이 받게 될 영생에 대해 설명했다. 대화 끝에, 류바이진이 환한 표정을 지으며 말했다.

"교수님, 나도 오늘부터 예수님을 나의 주인으로 접수하겠습니다."

그는 '영접'이라는 표현을 몰라서 중국에서 쓰는 대로 '접수'하겠다고 표현했다. 그 말이 내게 너무나 인상 깊게 다가왔다. 참 이상하게도 영접하겠다는 말보다 훨씬 더 친근하게 들려왔다.

그 후 열다섯 명의 제자들 모두 하나둘씩 그해 겨울에 찾아오신 예수님을 만나게 되었다. 아니, 그들의 삶의 주인(主人)으로 예수님을 확실히 접수하게 되었다.

Who are you?

"도대체 교수님은 누구십니까?"

나는 류바이진에게서 받은 이 질문이야말로 정말 제대로 된 질문이라고 생각한다. '당신은 누구인가?' 하는 이 질문은 나의 정체성이 무엇이고 나에게 가장 중요한 가치가 무엇인지를 묻는 질문이다. 다시 말하면, 내 삶을 주관하고 있는, 내 가슴속 깊은 곳에서 내 삶에 대한 결정권을 쥐고 있는 존재가 무엇인지를 묻는 질문이다. 류바이진에게는 길게 설명했지만, 이에 대한 대답을 한마디로 하면 이렇다.

I'm a Christian.

나는 그리스도인이다.

즉, 그리스도를 좇는 사람이라는 것이다.

나는 우리 인생의 유형을 두 가지로 나눌 수 있다고 생각한다. 그 하나는 '쫓기는 인생'이다.

선교사로 헌신하기까지 나는 굉장히 성공을 갈망했다. 공학 박사로 업적을 쌓아서 노벨상 같은 큰 상을 타고 싶었다. 그런데 연구 업적과 명예를 위해 고군분투하다가 나중에 나의 삶을 돌아보니, 나는 성공을 향해 질주했던 것이 아니었다. 실패에 대한 두려움에 쫓기는 인생을 살았던 것이다.

나는 또 돈도 무척 많이 벌고 싶었다. 그런데 돈을 더 벌려고 아등바등 살았던 지난날을 돌이켜보니, 그 삶은 부(富)를 향해 달렸던 인생이 아니라 가난해질까봐 두려워하는 마음에 쫓기는 인생이었음을 깨닫게 되었다.

쫓기는 인생과 반대되는 또 하나의 인생 유형이 바로 '좇는 인생'이다. 이것은 예수 그리스도의 삶과 사명을 좇는 인생이다. 바로 그리스도인인 우리가 살아야 할 인생이다.

우리에게는 쫓기느냐, 좇느냐 둘 중의 한 가지 삶을 결정해야 할 순간이 있는 것 같다. 나에게도 그런 때가 찾아왔다. 그때 나는 "자기 목숨을 얻는 자는 잃을 것이요 나를 위하여 자기 목숨을 잃는 자는 얻으리라"(마 10:39)라는 주님의 말씀에서 내가 가야 할 인생길을 발견했다. 그 길은 사도 바울도 고백한 대로 '나의 달려갈 길'이었다.

나의 달려갈 길과 주 예수께 받은 사명

곧 하나님의 은혜의 복음 증거하는 일을 마치려 함에는

나의 생명을 조금도 귀한 것으로 여기지 아니하노라 _행 20:24

지금 나는 선교사라는 이름으로 불리고 있지만, 사실 나는 그런 이름을 받을 만한 사람이 못 된다. 나는 단지 그리스도인일 뿐이다. 그리스도께 받은 사명을 좇아가는 사람일 뿐이다.

chapter 03

자기 인생을 내어드리는 자를 주님은 찾고 계신다

우리 가족은 겨울방학 동안 제자들과 한집에서 동고동락하면서 열심히 그들의 마음에 복음의 씨앗을 뿌렸지만, 전혀 예상하지 못한 데서 문제가 터졌다. 그 무렵 은혜가 감기를 앓고 있었는데, 한 달 내내 비가 오거나 흐린 날씨가 계속되더니 감기가 폐렴으로 발전하고 만 것이었다. 은혜는 한번 기침을 시작하면 한 시간 정도씩 기침을 계속했고, 그 모습을 지켜보는 나와 아내는 가슴이 미어졌다.

엎친 데 덮친 격으로 아내에게 우울증이 찾아왔다. 당시에 우리는 우울증이라고까지는 미처 생각하지 못했다. 그러나 한 달 내내 날이 흐리면서 집에 습기가 가득 차 있었던 데다가 딸아이까지 아프면서 아내는 자주 기분이 가라앉고 무력해 보였다. 참으로 난

감하고 힘든 시간이었다.

딸의 병이 좀처럼 낫지 않자, 우리는 미국에서 온 의사에게 딸을 보였다. 그는 딸아이의 병이 더러운 물과 나쁜 공기 등 좋지 않은 환경 때문에 생긴 것이니 중국을 떠나야 낫는다고 말했다. 기가 막혔다. 죽을 각오로 선교하겠다고 건너온 이국땅에서 고생을 한 끝에 이제 좀 적응이 되려나 싶었는데 다시 돌아가야 한다니…. 나는 너무 억울해서 하나님께 항의 조로 기도를 드렸다.

'하나님, 절대로 이대로 물러설 수 없습니다. 이렇게 하실 거면 왜 저희 가족을 중국으로 보내셨습니까?'

그러나 날이 갈수록 딸의 병은 심해졌고, 결국 우리는 거의 탈출하다시피 중국을 떠나게 되었다. 중국으로 들어온 지 1년여 만에 일어난 일이었다.

그때 1년 동안 함께했던 제자들이 공항까지 배웅하러 나와 눈물을 글썽이며 우리 손을 꼭 잡아주었다. 그 손의 감촉이 아직도 내겐 따뜻한 기억으로 남아 있다. 그들은 한 통씩 쓴 편지라며 우리에게 편지 꾸러미를 내밀었다.

한국으로 귀국하는 비행기 안에서 나는 당시 주님의교회를 담임하던 이재철 목사님을 우연히 만나게 되었다. 옆자리에 앉은 사람과 자연스럽게 이야기를 나누다가 서로 안면을 트게 되었는데, 그 분이 알고 보니 이재철 목사님이었다. 나는 그날 비행기를 타고 한국으로 돌아가는 많은 사람들 가운데, 귀한 하나님의 사람을 내 옆자리에 앉혀주신 하나님의 인도하심이 놀라웠다.

이 목사님과 서로 무슨 일로 중국에 다녀가는지를 이야기하다가, 나는 제자들을 떠올리며 편지 꾸러미를 풀어 보았다. 그리고 아내와 나, 이 목사님 셋이서 편지를 함께 읽는데, 우리도 모르게 눈물이 쏟아져 나왔다. 그 편지들은 우리 가족 때문에 예수님을 알게 된 것에 대한 고마움과 사랑을 고백하는 것들이었다.

최 교수님 가족에게

그동안 베풀어주신 사랑을 비록 다 표현할 수는 없지만, 감사의 뜻을 짧게라도 표현하고자 붓을 들었습니다. 비록 교수님 가정과 접촉한 시간은 그리 길지 않지만, 저희는 교수님과의 접촉에서 사랑을 느낄 수 있었고 기쁨을 누릴 수 있었습니다. 특히 제가 감사하는 것은 지난 겨울방학에 교수님의 사랑과 인도하에 처음으로 예수 그리스도를 접촉하게 되고 또 접수할 수 있었던 것입니다. 저는 이전에 미신이라고만 믿던 기독교를 점차 알아가고 있으며, 구주 안에서 늘 평안을 느끼고 있습니다.

무엇보다도 보이지 않는 사랑이 교수와 학생이라는 관계뿐만 아니라 우리 마음속의 담을 허물었습니다. 그래서 지금 우리는 우리가 하나의 새로운 대가족임을 깊게 느끼고 있습니다. 그리고 이 가족은 믿음과 소망 속에서 사랑의 꽃을 피우며 점점 더 크게 성장해가고 있습니다.

저는 이번 길에 은혜의 병이 치료받아 은혜가 한 송이 지지 않는 꽃으로 쾌활하게 이전과 같이 활동할 수 있을 것이라 확신합니다. 이번 길이 순조롭기를 바라며 다시 상봉할 날을 기대하며 기도합니다. 그리고 사모님은 저희와 함께하며 너무 많은 수고를 하셨으므로 한국에서 충분히 휴식하시고 보양하셔서 많이많이 젊어져서 돌아오시기를 바랍니다.

재상봉을 기대하며….

1994년 5월 27일

교원의 제자, 삶의 제자 원시에로부터

하나님만 바라라

원시에를 비롯한 제자들의 편지를 읽으면서 나는 지난 1년 동안 중국에서의 삶이 헛되지 않았음을 깨달았다. 그리고 단지 1년 간의 섬김이 제자들의 삶을 그렇게 바꾸었다면, 우리가 앞으로 중국에서 더 오래 선교하고 하나님께서 우리와 함께하신다면 정말 더 큰 변화들이 일어날 것이라는 기대가 마음속에서 솟구쳐 올랐다. 하나님께서 우리로 하여금 중국 땅에 복음의 씨앗을 뿌리게 하시고, 벌써 작으나마 열매를 맺게 하셨다고 생각하니 천하를 얻은 것보다도 더 기뻤다.

'빨리 중국에 다시 돌아가야겠다. 그리고 정말 열심히 온 힘과 온 마음과 온 정성을 다해서 제자들을 섬겨야겠다.'

나보다 아내의 감동은 더했던 것 같다. 아내는 공항에 도착해서까지 울고 있었다. 울고 또 울면서 그 눈물로 마음속 우울한 감정들을 전부 씻어 내리고 있는 것 같았다. 아내의 우울증에 제자들이 전해준 사랑의 편지가 약이었고, 우리는 이제 막 한국에 돌아왔는데도 중국에 다시 돌아갈 생각으로 부풀었다.

딸은 당시 서울소망교회의 부목사로 계시던 어느 신실한 분의 도움으로 한국에서 무료 검진과 치료를 받을 수 있었다. 그리고 하나님의 은혜로 놀랍게도 2주 만에 병이 완치되었다. 우리는 기쁜 마음으로 중국으로 다시 들어갈 채비를 했다.

그때 비행기에서 만난 이재철 목사님으로부터 연락이 왔다. 약속을 잡아 부부 동반으로 점심식사를 하던 날, 목사님은 우리에게 많은 격려를 해주시며, 중국에서 딸아이를 건강하게 돌보고 사역하는 데 쓰라고 생각지도 않은 큰 금액의 돈을 헌금해주셨다.

나는 전혀 예상치 못한 도움의 손길들에 감격해서 시편 42편 5절 말씀을 떠올렸다.

내 영혼아 네가 어찌하여 낙망하며
어찌하여 내 속에서 불안하여 하는고 너는 하나님을 바라라
그 얼굴의 도우심을 인하여 내가 오히려 찬송하리로다 _시 42:5

여러 어려움으로 낙망하며 불안해했던 우리 가족을 하나님은 여러 손길들을 통하여 도우시고, 그로 인해 그분을 찬송하게 하셨다. 그 잠깐의 실패를 통하여 하나님은 어떠한 환경에서도 하나님만을 바라는 것을 우리에게 가르치셨다.

우리 가족은 중국을 떠난 지 2주 만에 다시 새로운 마음으로 중국으로 돌아왔다. 그리고 처음에 작정했던 3년이 아니라 지금까지 15년 동안 이 땅에서 헌신하고 있다.

주님의 소유가 되어 헌신하라

다시 중국으로 돌아가면서 나는 왜 하나님께서 내게 고난을 허락하셨을까, 그동안 내가 잘못한 것이 있을까 하면서 지난 시간을 반성해보았다. 그랬더니 지난 1년 동안 나도 모르게 하나님이 아니라 나 중심적인 생각을 많이 했던 것을 알게 되었다.

처음 선교를 갈 때 나에게는 선교사에 대한 막연한 환상 같은 것이 있었다. 게다가 내가 좋은 직장을 버리고 가진 재산을 모두 팔아 중국에 왔으니 대단한 헌신을 한 거라는 생각을 품고 있었

다. 그래서 내가 내 마음대로 정해놓은 선교사 틀에서 벗어나는 다른 선교사들을 만나면, 그들은 나 만큼의 헌신자가 아니라는 생각으로 색안경을 끼고 바라볼 때가 있었다.

특히 나는 동료 선교사들에게서 인간 냄새가 나는 것을 견딜 수 없어 했다. 예를 들어, 내가 일하던 학교에서는 한국에서 온 전문인 선교사들이 모두 함께 한 사무실을 썼다. 그러다가 나중에 몇 개의 방으로 갈리게 되었는데, 그때 선교사들이 더 좋은 자리를 차지하고 싶어 하거나 함께 쓰던 물품을 자기 방으로 가져가려는 것을 보고 나는 굉장히 실망하고 속으로 그들을 비난했다. 나야말로 자기 의(義)에 빠져 있는 인간인 줄 모르고, 동역자들이 조금이라도 내가 만들어놓은 선교사 틀에서 벗어나는 행동을 하면 굉장히 실망하고 힘들어했던 것이다. 나는 그들보다 내가 낫다는 생각으로 그들을 쉽게 판단하고 평가했으며 사랑하지 못했다.

이런 일은 모두 하나님이 아니라 '내'가 선교한다고 생각하니까 일어나는 일이었다. 선교하는 게 '나'일 때는 주변 환경에 영향을 받으며 부족한 모습으로 일할 수밖에 없었다.

그러나 가족의 병을 통해 어려운 시간을 겪으면서 헌신에 대한 나의 생각이 바뀌기 시작했다. 내가 헌신할 수 있는 이유는 나 때문이 아니라 내가 주님의 것이기 때문임을 알게 되었다. 우리가 주님의 일을 하고 가치 있는 사람이 되는 것은, 우리가 잘나고 돈

이 많고 의지가 남달라서가 아니라 우리가 주님의 소유이고 주님
께서 우리를 정금처럼 연단해가시기 때문임을 깨닫게 된 것이다.

나의 가는 길을 오직 그가 아시나니
그가 나를 단련하신 후에는 내가 정금같이 나오리라 _욥 23:10

나는 다른 모든 그리스도인, 그리고 아직도 복음을 듣지 못한
사람들이 어서 속히 주님의 소유가 되어 귀하게 쓰임 받기를 오늘
도 온 마음 다해 간절히 기도한다.

주님을 좇으면 전부를 걸게 된다

그해 겨울 이후로 우리는 방학마다 많은 학생들을 집으로 초
청하여 함께 지내면서 복음을 전했다. 사람들이 가끔 하루 이틀도
아니고 어떻게 그렇게 오랜 시간 많은 사람들과 한집에서 살 수 있
었느냐고 묻는다. 솔직히 불편한 점도 있었다. 한 제자는 화장실
에 머무는 시간이 무척 길어서, 하나밖에 없는 우리 집 화장실에
그 제자만 들어갔다 하면 모두들 긴장해야 했다.

"야, 빨리 나와. 너 때문에 다 늦겠어."

하지만 제자들과 함께 지내는 시간은 우리 가족에게 기쁨의
연속이었다. 나는 본래 사람들과 함께하는 것보다 혼자 연구하며

책 보는 것을 더 좋아했고, 아내는 깔끔해서 한국에 있을 때는 집에 손님들이 많이 찾아오는 것을 그다지 좋아하지 않았다. 그런 우리가 그 많은 제자들과 북적대는 생활을 즐거워하다니…. 나와 아내의 변한 모습에 우리 스스로도 놀랄 정도였다. 이것은 우리의 노력으로 변한 게 아니라 하나님께서 하나님의 일을 위해 변화시켜주신 것이 틀림없었다.

그리고 그때 나는 학교에서 기획조정실장이라는 보직까지 맡아서 무척 바빴다. 평일에는 보통 밤 10시 이후에나 집에 돌아오곤 했지만, 주말에 제자들과 함께 성경공부하고, 주일이면 함께 교회에 가는 즐거움이 있었기 때문에 전혀 힘들다는 생각이 들지 않았다. 힘들기는커녕 그들과 함께 사는 하루하루가 신명났다.

이런 나를 보고 사람들은 어두운 그늘이 없는 사람 같다고 말했다. 많은 제자들을 먹이고 돌보고 전도하면서 걱정이나 불평이 없는 게 신기해 보였나 보다.

하지만 내게 어두운 면이 없었다기보다는, 그리스도를 너무 열심히 좇다 보니, 한자리에 서서 머무를 시간도 없이 그리스도를 따라 빠르게 뛰다 보니, 내 주위에 어두운 그림자가 생길 틈이 없었던 것 같다. 나는 하나님이 주신 비전만을 좇기에도 하루 스물네 시간이 늘 부족했다.

그리스도가 주신 비전을 좇으면 어두운 생각이 머릿속에 발붙일 틈이 없다. 비전을 따라 우리 주님께 전부를 거는 인생, 결코 헛되지 않을 것이다.

마지막 보물을 내어드렸더니

우리 가족은 몇 해 동안 많은 학생들을 열심히 섬기며 복음을 전했다. 그런데 많은 제자들과 공동생활을 하고 북한 꽃제비(일정한 거주지 없이 떠도는 탈북 청소년이나 어린이)들을 만날 때면 지갑을 열어 있는 힘껏 돕다 보니 수중에 돈이 다 떨어지고 말았다. 후원자 하나 없이 선교를 온 터라 막막했다. 염치 불구하고 한국의 부모님께 도움을 청하기도 했지만 매번 그럴 수도 없는 노릇이었다.

어느 날 나는 학교에 가고 아내가 혼자 집에 있을 때였다. 당장 돈이 없어서 고민하고 있던 아내는 돈이 될 만한 게 없나 집 안을 둘러보다가 바이올린을 발견했다. 아내는 한국에서 취미로 바이올린을 배웠는데, 그 바이올린은 그녀가 매우 아끼던 보물이었다. 순간 아내는 이런 생각이 들었다고 한다.

'나는 아직도 가지고 있는 게 너무 많네. 옛날에 배웠지만 지금은 쓰지도 않는 바이올린을 보물처럼 가지고 있으면 뭐 하겠어…. 먼지만 쌓일 뿐이지.'

아내는 자신의 보물을 어느 예술대학 교수에게 20만 원을 받고 팔았다. 그런데 놀랍게도 그 일 이후 우리 가족에게 후원자가 생겼다. 중국에 방문한 한국인 기독교인 한 분을 우연히 만나게 되었는데, 그 분이 그 후로 몇 년 동안 1년에 천만 원씩 헌금을 보내주셨던 것이다. 우리가 가진 것을 내어드릴 때 더 많은 것으로 채우시는 하나님의 은혜가 놀라웠다.

그 무렵 또 한 명의 후원자가 혜성처럼 나타났다. 그는 북한 사람이었는데, 내가 학생들을 먹이고 돌보는 것을 보고는 참 귀한 일을 한다며 후원 물품을 내밀었다. 그런데 그 후원 물품이라는 게 그가 손가락에 끼고 있던 반지였다. 그는 그 자리에서 반지를 빼서 내게 주었다. 낡은 은반지라 돈이 되지는 않았지만 그 마음이 너무 감사했다.

은반지의 새 주인

나는 북한 분이 준 반지를 고이 간직했다. 몇 년 후 그 반지는 새 주인을 맞게 되는데, 그 이야기는 이렇다.

내 제자 중에 징허라고 홀어머니 밑에서 자란 조선족 학생이 있다. 그를 처음 만났을 때, 그는 술고래였고 만날 쌈박질을 하거나 남의 집 유리창을 깨기 일쑤였다. 그런 그가 예수님을 믿고 나더니 자신의 삶을 주님께 내어드렸다. 그는 주님께서 원하시는 모습대로 자신을 빚어가시기를 기도했다.

그때부터 징허의 삶이 변하기 시작했다. 특히 징허는 한국말을 전혀 못해서 그 어머니가 답답해할 때가 많았는데, 부모를 공경하라는 주님의 말씀을 배운 후로 우리 가족에게 한국말을 열심히 배우기 시작했다. 그리고 공부도 정말 열심히 하고 신앙생활을 잘해나갔다. 그 모습을 보고 그 어머니가 얼마나 기뻤는지 하루는 내게 편지를 보내오셨다.

"엄마도 하지 못한 일인데, 우리 징허에게 한국말을 가르쳐주시다니 고맙습니다. 엄마를 봐도 인사도 할 줄 모르고 만날 깡패 짓이나 하던 놈이 이제는 인사도 잘하고 한국말로 편지도 보낸답니다. 정말 감사합니다."

그 후 징허의 어머니는 징허가 대학교를 졸업할 때 나를 찾아왔다. 그리고 지금까지 아들을 보살펴주어 고맙다며 어렵게 말을 꺼냈다.

"저는 사실 부모로서 자격이 없는 사람이에요. 징허가 좋은 사람이 되도록 가르친 것도 없고요. 그러니 최 교수님이 징허의 양아버지가 되어 앞으로도 징허를 잘 지도해주셨으면 좋겠어요."

나는 홀몸으로 아들을 대학교육까지 시킨 그 어머니의 수고와 정성을 헤아리며 사양했지만, 그녀가 너무 간절히 부탁하기에 결국 징허를 양자로 삼기로 했다. 그리고 조촐하게 양아들맞이 축하 잔치를 열었다. 그때 나는 징허에게 북한 분에게서 받은 그 귀한 은반지의 사연을 들려주고, 아버지가 주는 첫 번째 선물로 그

반지를 건네며 그 북한 분처럼 가진 전부를 주님께 내어드리는 인생을 살라고 이야기해주었다.

징허는 그 후 더 열심히 공부하여 한국으로 유학을 가서 서울대학교에서 석사학위를 마쳤다. 그리고 머지않은 장래에 중국으로 돌아와 주님을 위해 일할 비전을 키우고 있다.

예수께 올인한 인생, 후회는 없다

내 제자 장위평의 이야기도 들려주고 싶다. 그는 원래 내가 가르친 학교의 학생은 아니었다. 우리 가족이 학교 제자들과 함께 기차 여행을 간 적이 있는데, 그때 같은 기차 칸 안에 장위평도 타고 있었다. 내 제자들과 같은 또래였던 그는 우리 일행과 자연스럽게 어울리게 되었고, 이후 우리 집을 드나들면서 내 학교 제자나 다름없이 우리와 한 가족처럼 지냈다.

그러나 그는 차츰 우리의 관심과 친절을 부담스러워했다. 알고 보니 그는 일찍부터 공산당원이 되려고 착실히 준비하고 있었다. 공산당원에게 기독교는 아편과 같이 여겨지는 것이었다. 그래서 장위평은 우리가 전하는 예수님 이야기를 그의 출세를 가로막는 장애물처럼 생각하고 있었다. 그런 사정 때문에 마음에 벽을 세운 상태에서 우리의 따뜻한 보살핌을 받고 있으니, 그는 자꾸 우리에게 빚을 지는 것 같다는 생각이 들었던 것이다.

어느 날 그는 우리 부부에게 그 무거운 마음을 털어놓았다. 그때 나는 이렇게 말했다.

"우리는 예수님한테 진 빚을 너한테 갚고 있는 거야. 그러니 너도 그 빚을 우리한테 갚지 말고 네 도움이 필요한 사람한테 갚으면 되는 거야."

그때 장위평은 우리가 빚을 졌다는 예수님이 누구인지 궁금한 마음이 처음으로 들었다고 한다. 그리고 우리가 자주 이야기하는 성경에는 무슨 말이 들어 있는지 알아보고 싶어졌다고 한다.

그렇게 해서 우리와 함께 교회에 나가게 된 장위평은 점점 마음이 두 갈래로 나뉘기 시작했다. 결국 그는 공산당을 포기하느냐, 예수를 포기하느냐 하는 기로에 서게 되었다. 그 시기에 얼마나 복잡한 심경이었는지를 그는 이렇게 이야기한다.

"제가 공산당원이 되려고 했던 것은 순전히 저의 출세를 위해서였어요. 그러기 위해서 저는 공산당을 찬양하는 거짓 보고서도 많이 써 바쳤어요. 그러나 거짓은 거짓을 낳는다는 것을 성경을 통해 깨달았습니다. 한편, '예수당원'은 저에게 사회적으로 피해를 입히면 입혔지 제가 출세하는 데 전혀 도움이 안 되는 무익한, 아니 유해한 것이었습니다."

그러나 그는 공산당 입당을 위한 교육을 다 수료하고 마지막으로 공산당원 선서만 하면 되는 상황에서, 그에게 '유해'한 것을 선택하기로 결정했다. 그때의 기쁨에 대해 이야기할 때면 그의 얼굴은 언제나 생기로 가득하다.

"그 순간 예수님이 제 안에 찾아오셨습니다. 저는 마음 문을 활짝 열고 그분을 열렬히 환영했어요. 그러자 제 안의 양심도 환해졌습니다. 앞으로 제가 사회적으로 인정받지 못하는 길을 걸어가게 된다 해도 후회는 없었습니다."

그 후로 장위평은 정말 후회 없이 열심히 주님을 좇았다. 그가 얼마나 대범하게 주님을 좇았는지 알 수 있는 일화가 하나 있다. 그는 대학원생일 때 같은 그리스도인 자매와 결혼했는데, 중국에서는 감히 상상조차 할 수 없는 일로, 교회에서 결혼식을 했다.

문제는 결혼식 다음에 벌어졌다. 축하객으로 온 그의 학교 친구들이 평생 처음으로 교회에 와보고는, 학교에 돌아가서 교수들에게 장위평이 기독교인인 것을 신고했던 것이다. 중국에서는 기독교인인 것이 밝혀지면 사회적으로 부당한 차별을 받는 일이 많다. 곧 교수들이 장위평을 어떻게 처리할까를 두고 회의까지 열었다고 하니, 그가 당시에 얼마나 커다란 시련을 겪었을지 짐작이 가고도 남는다. 그러나 그는 학교에서 늘 수석을 놓치지 않을 정도로 수재(秀才)에 워낙 성실했기 때문에, 다행히 대학원을 무사히 마칠 수 있었다. 그뿐만 아니라 곧 대학에서 강의까지 맡게 되었다. 모두 다 하나님께서 놀랍게 보호하시고 은혜 주신 결과였다.

하나님이 사람을 쓰시는 기준

징허와 장위평의 변화 과정을 돌이켜보면 정말 감탄스럽기 그지없다. 그런데 가끔 내 오랜 친구들을 만나면 그들도 나의 변화된 모습을 보고 깜짝 놀란다. 그래서 "할렐루야!"라고 하지 않고 "놀렐루야!" 하고 소리치며 이렇게 덧붙인다.

"널 보면 하나님이 살아 계신다는 것을 절대 부인할 수 없어."

세상적인 지식과 돈과 명예를 열심히 추구했을 뿐만 아니라 사람들 앞에서 유난히 부끄러움을 많이 탔던 내가 지금은 선교사가 되어 다른 사람들까지 선교에 동원시키는 모습이 도저히 믿기지 않는다는 것이다. 부족한 나 자신을 마음대로 요리해서 쓰시라고 하나님께 내어드렸더니, 하나님께서 나를 변화시켜주시고 나의 능력도 더욱 개발시켜주셨다.

징허와 장위평, 그리고 나의 예를 보면서 우리 하나님이 사람을 쓰시는 기준이 우리와는 다르다는 것을 절감한다. 그분께는 우리의 능력이 우선이 아니라, 내어드림이 먼저인 것이다. Availability First, Ability Second! 유용함이 첫째, 유능함은 둘째인 것이다.

주님께서 말씀하실 때 주변을 돌아보고, 뒤를 돌아보고, 그 말씀을 따르다가
혹시 잘못되지 않을까 염려하는 것은 믿음 있는 사람의 모습이 아니다. 그저
단순하게 주님의 말씀에 몸을 던지는 것이 우리 믿는 사람들이 보여야 할 행동
이다.

행함으로 네 믿음을 **2**부
주께 증명하라

chapter 04

내 이름이 아니라
주님의 이름을 위해 *꿈꾸라*

1997년쯤으로 기억된다. 어느 주일에 여느 때처럼 제자들과 함께 교회에 갔다. 교회에는 항상 사람들이 얼마나 많은지, 조금만 늦으면 예배당 밖의 뜰에서 예배를 드려야 했다. 그런데 그 많은 사람들 중에 언제나 아이들은 거의 없었다. 나는 교회에 갈 때마다 '왜 아이들은 이렇게 없을까?' 궁금했는데, 그날 교회 지도자에게 그 이유를 물어볼 기회가 있었다. 그의 대답을 듣고 나는 가슴이 참으로 답답해졌다.

"중국에서는 법적으로 교회 내에 어린이 주일학교를 만들 수 없습니다. 열여덟 살 이하는 어떤 종교도 가질 수 없고, 종교 활동이 허락되지 않습니다."

나는 무신론자들이 기독교인들보다 훨씬 더 똑똑한 것 같다는 생각이 들었다. 중국의 공산주의자들은 사람을 어릴 때 붙잡아 놓으면 성인이 되어서도 대부분 무신론자로 남게 되고, 설령 믿음을 가지는 사람이 있다고 해도 극히 일부에 지나지 않아 자신들에게 그리 위협적이지는 않을 거라는 계산을 하고 있는 것이다.

웨인 라이스(Wayne Rice)의《주니어 하이 미니스트리》(Junior High Ministry)라는 책을 보면, 미국 전체 교인들을 대상으로 몇 살 때 예수를 믿었는지 조사한 자료가 있다. 그들 중에 14세 이하에 예수를 믿은 사람이 전체의 86퍼센트나 된다. 반면 35세 이후에 예수를 믿은 사람은 4퍼센트밖에 되지 않는다. 이 통계 자료를 보면 어린 나이에 복음을 접하는 것이 얼마나 중요한지 알게 된다.

어린이들과 청소년들이야말로 마음 밭으로 비유하면 '좋은 땅'이라고 할 수 있다. 시간이 흐르면서 이 좋은 땅은 결국 가시덤불이나 돌밭, 아니면 길가가 되어간다. 그러니 이들이 한 살이라도 어릴 때에 예수를 믿게 해야 한다. 새벽이슬과 같은 젊음의 때에 주님께 헌신하는 것, 인생에 이보다 더 값진 자산이 없을 텐데, 어떻게 이 아이들을 그냥 가만히 보고 있을 수 있겠는가.

"아이들을 위해서는 아무도 없구나"

내가 청소년을 위한 사역을 하는 데 주님 다음으로 결정적인 영향을 끼친 분이 있다. 바로 언더우드 선교사이다. 그는 1885년 조선에 도착한 외국인 선교사였다. 그는 원래 인도(印度) 선교사로 갈 예정이었다고 한다. 그러나 조선에는 선교사가 없다는 소식을 듣고 나서 그는 이렇게 독백했다.

Nobody for Korea.

How about Korea?

조선을 위해서는 아무도 없구나.

조선은 어떨까?

언더우드는 결국 이 생각이 계기가 되어 조선으로 선교의 방향을 바꾸었고, 한국 사회에 지대한 기독교 영향력을 미친 인물이 되었다.

그런데 어느 날부터인가 나는 120여 년 전 언더우드의 마음을 움직인 그 말, "아무도 없구나"가 내 마음속에서 반복되는 것을 느꼈다. 마치 하나님께서 나에게 이렇게 질문하시는 것 같았다.

Nobody for children.

How about children?

아이들을 위해서는 아무도 없구나.

아이들은 어떻겠니?

나는 주님의 음성에 귀 기울였고, 마침내 이렇게 결심하기에
이르렀다.

"하나님! 제가 하겠습니다."

학교가 최고의 선교지

하나님께서는 아이들을 위한 사역 중에서도 특별히 학교 사
역을 내게 비전으로 주셨다. 중국의 법 때문에 아이들이 교회에는
올 수 없지만 학교에는 올 수 있으니, 학교가 최고의 선교지가 될
수 있기 때문이었다.

게다가 하나님께서는 내게 비단 중국뿐 아니라 아시아 전역
에 있는 아이들을 품으라는 마음을 주셨다. 예루살렘에서 시작되
어 다시 예루살렘으로 진행되고 있는 하나님의 선교가 중국을 거
쳐 서쪽으로 가고 있기 때문에, 그 길을 따라 아이들에게 복음을
전하는 일에 나를 쓰시겠다는 말씀이셨다. 그때부터 중국을 비롯
한 아시아에 학교를 세우는 것, 그것이 나의 꿈이 되었다.

최근 유엔 인구통계 발표에 의하면 세계 인구 67억 중에 아시
아의 인구가 40억이며, 그중에 15세 이하 인구가 차지하는 비율이
전체 아시아 인구의 40퍼센트에 육박한다. 이것은 '교육선교'의
중요성을 시사해준다. 그리고 중국의 교회에서는 "40대가 청년,
30대는 희귀동물, 20대는 천연기념물, 어린이와 청소년은 멸종동

물" 이라는 말이 있을 정도로 젊은 신자가 적은데, 알고 보면 중국의 어린이와 청소년 인구가 4억이나 된다. 그러므로 아시아의 복음화를 위해 학교를 세우되 하나에 그치지 말고 수십 개의 미션 스쿨들을 만드는 '학교 개척 운동'(School Planting Movement)이 정말로 필요하다.

나는 여호수아서 1장 3-5절 내용을 주님께서 내게 주신 비전을 반영하여 다음과 같이 고쳐본 적이 있다. 이 말씀은 비전대로 순종하면서 힘들 때면 내가 묵상하는 말씀이다.

> 내가 모세에게 말한 바와 같이
> 무릇 너희 발바닥으로 밟는 곳을 내가 다 너희에게 주었노니
> 곧 '아무르 강'(러시아와 중국의 국경 부근을 흐르는 강)에서부터
> 큰 하수 '메콩 강'(인도차이나 반도를 흐르는 동남아시아 최대의 강)에 이르는
> 온 땅과 또 해 지는 편 예루살렘까지 너희 지경이 되리라
> 너의 평생에 너를 능히 당할 자 없으리니

하나님은 참 묘하시다. 영적으로 깊은 잠에 빠져 있던 나를 깨우시더니만, 1년만 헌신해보라는 신호를 보내셨다. 그것이 발단이 되어 결국 나는 3년간 헌신하기로 작정했다. 그런데 3년을 계획하고 이곳 중국에 왔지만, 나는 제자들뿐만 아니라 성령님과

깊은 사랑에 빠졌고, 그와 동시에 내 계획이 아닌 하나님의 계획에 맞추어 살아가기로 마음을 정하게 되었다.

그리고 중국에 온 지 6년이 되던 해, 하나님께서는 내게 다시 새로운 일을 보여주셨다. 능력도 없는 나에게 내 힘으로는 감히 엄두도 못 낼 아시아 전역의 아이들을 맡기셨다. 그러나 나는 '내'가 아니라 나의 손을 통하여 '하나님'께서 그 일을 이루어가실 것을 믿었다. 그리고 나뿐 아니라 나의 제자들도 그 일을 감당할 것이라는 비전이 내 가슴에 가득했다.

비전의 씨앗을 심다

1999년 여름, 애심고아원 뒷산에 올라간 적이 있다. 그 고아원은 내가 일하던 대학교에서 가까웠는데, 제자들이 예수님을 영접한 후로 그리스도인의 섬기는 삶을 직접 체험하게 하기 위하여 함께 자주 방문하여 봉사하던 곳이다. 그날도 그곳에서 고아들을 돌본 후 우리는 뒷산에 올라가 교제를 나누었다. 그때 나는 산 정상에서 발아래로 보이는 시내(市內) 전경을 감상하다가 지난날을 떠올리며 감회에 젖어 말했다.

"너희가 예수님을 만난 것이 내게는 가장 행복한 일이었다."

"저희가 교수님을 만나게 된 것은 하나님께서 주신 복입니다."

"저 아래에 걸어 다니는 사람들, 자전거 탄 사람들, 택시나 버스를 타고 바삐 움직이는 사람들 모습을 한번 봐봐. 난 저들의 영혼이 불쌍하게 느껴져 가슴이 아파. 저 가운데 예수님을 아는 사람이 과연 몇 명이나 있을까 하는 생각에…."

내가 산 아래로 보이는 사람들을 가리키며 말하자, 제자들이 고개를 끄덕이며 말했다.

"저희도 가슴이 아파요. 예수님을 모르던 저희의 과거를 돌이켜보면 저들의 삶이 충분히 짐작됩니다."

"난 특별히 너희가 청소년 사역에 헌신하면 좋겠어. 너무나 많은 아이들이 갈등과 방황 가운데 있지 않니?"

"저희가 어떻게 복음을 전할 수 있겠습니까?"

"혹시 하나님께서 허락하신다면, 청소년을 위한 학교를 만들고 싶다. 비록 대외적으로 미션 스쿨을 표방할 수는 없다고 해도, 예수 믿는 선생들이 삶과 가르침을 통하여 아이들에게 영향을 미칠 수 있는 것 아니겠니? 그런 학교를 만든다면 너희가 와서 아이들을 가르치지 않을래?"

"네, 그러겠습니다!"

나는 스승의 비전을 공유해주는 제자들이 기특하고 고마웠다. 우리는 산상(山上) 대화를 마치고 시내를 내려다보며 정말 열심히 소리 높여 기도했다.

이날 우리는 처음으로 청소년 사역에 대한 비전의 씨앗을 함께 심었다.

새벽 여명을 밝히리라

나는 우리의 새로운 비전을 잘 나타낼 이름을 짓고 싶었다. 이름을 놓고 기도하는 가운데 하나님께서 '단미션'(Dawn Mission)이라는 이름으로 인도해가셨다. 'Dawn'이란 새벽이라는 뜻이다. 청소년이야말로 미래 하나님나라의 인재(人材)이고, 새벽에 떠오르는 태양처럼 새롭고 신선한 존재들이다. 그리고 그들 안에 믿음이 심길 때 그들의 삶에 새벽 여명(黎明)이 밝아올 것이다. 이런 의미를 담아 나는 우리의 청소년 사역을 '단미션'이라고 명명했다.

그 후 우리 가족은 잠시 미국 로스앤젤레스(LA)로 거처를 옮겨 단미션 사역을 준비하기 시작했다. 청소년을 위한 학교를 짓기 위해서는 기도와 물질과 몸으로 헌신할 많은 사람들이 필요했기 때문에 사람을 모으기 위해서였다.

중국을 떠나기 전날, 우리 가족은 큰 식당을 빌려 백 명이 넘는 학생들과 식사를 함께했다. 그들은 우리 가족을 통해 예수님을 영접한 학생들이었다. 우리 모두 맛있는 음식을 앞에 두었지만, 배로 들어가는 것보다는 눈으로 나오는 것이 더 많았다. 잠시지만 헤어지는 아쉬움에 그날 밤에 뿌린 눈물만 해도 엄청났다.

우리 가족은 미국에 와서 제자들을 몹시 그리워했다. 특히 아내는 밥을 하다가, 청소를 하다가, 제자들과 찍은 사진을 보다가 두고 온 제자들 생각에 갑자기 눈물을 쏟곤 했다. 심지어는 털썩 주저앉아 엉엉 우는 때도 있었다. 그러면 옆에 있던 딸도 중국의 언니 오빠들이 보고 싶다고 "나 다시 중국 갈래, 중국 갈래" 하면서 울었다. 무슨 곡(哭)을 해도 그렇게 할 수는 없었을 것이다. 아내는 가끔 슬픈 목소리로 이렇게 말했다.

"내가 자식을 내팽개치고 멀리 도망 온 엄마라는 자책이 들어요."

하지만 우리는 분명 도망 온 게 아니라 하나님이 주신 비전을 따라 잠시 새로운 터전에 머무르는 것이었고, 제자들을 향한 우리의 애정은 변함이 없었다.

그러던 어느 날 아내는 화장대 앞에서 여느 날보다 자세하게 자기 얼굴을 들여다보았다고 한다. 중국에 있는 동안 피부 관리에 전혀 신경을 쓰지 못해서 주근깨가 많이 생겼다.

그날, 바깥에 나갔다가 돌아온 나에게 아내는 주근깨 이야기를 꺼냈다. 나는 아내의 피부가 거칠어지도록 신경을 써주지 못해서 내심 미안하고 안타까웠는데, 아내는 그런 피부가 오히려 자랑스러운 듯 말했다.

"난 이 주근깨가 싫지 않아요. 왜냐하면 중국에서 주근깨가 하나 늘 때마다 예수님의 제자가 하나씩 더 생겼으니까요."

정말 그랬다. 아내 얼굴의 주근깨는 어찌 보면 아내가 기꺼이 주님 안에서 죽었다는 삶의 증거물이었다. 그것은 아내가 장미 같은 화려한 욕망을 가진 사람에서 민들레 같은 소박한 소망을 가진 사람으로, 자기만 사랑하는 공주병 환자에서 제자들을 사랑하는 상사병 환자로, 쇼핑홀릭에서 미션홀릭으로 변화된 증거였던 것이다.

아내의 얼굴에 사랑스러운 주근깨를 선물해준 중국 땅에 돌아갈 때까지 제자들을 향한 아내와 나의 상사병은 계속되었다.

이미 내가 다 너희에게 주었노라

나는 그전에 미국에서 1년간 체류하면서 알고 지낸 사람들을 찾아다녔다. LA온누리교회의 유진소 목사님이 사역에 적극적으로 동참해주셨고, 이후 창립한 '단미션 선교회'의 초대 이사장을 맡아주셨다. 그리고 몇몇 분들이 선교회 이사로 봉사해주기로 하셨다.

"이제 새벽을 깨우는 교육선교 기관인 단미션의 설립을 성부, 성자, 성령의 이름으로 선포합니다."

2001년 10월, 나는 캘리포니아 주(州)의 애너하임(Anaheim)에 본부 사무실을 두고 단미션 선교회를 창립했다. 그리고 창립 예배에 초대한 지인(知人) 80여 명에게 침을 튀겨가며 열변을 토했다.

"우리의 비전은 중국을 위시해 공식적인 선교 활동이 제약되어 있는 곳곳에 학교를 만들어 복음을 전하는 것입니다."

그러나 초대된 사람들 중에 그 비전이 실현될 것이라고 믿는 사람은 단 한 명도 없는 것 같았다. 단미션 선교회가 그 일에 필요한 경제적, 환경적 여건을 전혀 갖추지 못했기 때문이었다. 나중에 들은 이야기지만, 그때 사람들은 나를 두고 이런 말들을 했다고 한다.

"맨땅에 헤딩하고 있어!"

"비빌 언덕도 없이 무슨 일을 하려고 그래."

"너무 막무가내 아니야?"

그러나 나의 비전은 확고하여 타협의 여지가 없었다. 사실 선교회를 발족하기 3개월 전에 나는 한국의 어느 IT 기업으로부터 미국 LA 지사장을 맡아달라는 요청을 받았지만 거절했다. 바울이 빌립보서 3장 13,14절에서 언급하듯, 뒤에 있는 것은 잊어버리고 오직 하나님께서 예비해놓으신 위대한 미래를 향해 달려가기로 결심했기 때문이었다.

형제들아 나는 아직 내가 잡은 줄로 여기지 아니하고
오직 한 일 즉 뒤에 있는 것은 잊어버리고

앞에 있는 것을 잡으려고 푯대를 향하여
그리스도 예수 안에서 하나님이 위에서 부르신
부름의 상을 위하여 좇아가노라 _빌 3:13,14

물론 내 앞에 놓인 그 일은 어려운 일이었다. 중국은 물론이고 아는 사람이 전혀 없는 생면부지(生面不知)의 땅들로 가서 학교를 세우겠다니 말이 안 되는 일이었다. 하지만 남들은 다 안 될 것이라고 해도, 나만은 불가능의 '불' 자도 생각하지 않았다. 당시 내가 계속하여 되뇌던 성경구절은 이 말씀이었다.

너희 발바닥으로 밟는 곳을 내가 다 너희에게 주었노니 _수 1:3

'주었노니'라고 적혀 있는 말씀이 나에게 그렇게 힘이 될 수 없었다. "줄 것이다"(I will give you)도 감지덕지인데, "주었노라" (I have given unto you)라는 말씀은 하나님께서 이미 그 땅을 나에게 주시려고 준비하셨고 주시기로 보증하셨으니, 이제 남은 일은 단 하나, 바로 내가 그 땅을 발로 밟는 일뿐이라는 것이었다.

나는 청소년들의 마음 밭에 복음이라는 새벽 여명을 비추겠다는 부푼 꿈으로 주위의 만류는 아랑곳없이 한 달 내내 내 방에 처박혀 학교 건립 종합 계획을 세웠다. 그때 하나님께서 말씀하시는 것을 그대로 받아쓰기하듯 밤낮으로 컴퓨터 자판을 두들겨댔다. 그리고 학교 이름과 장소와 수용하고 싶은 학생 수 등 전체적인 청사진을 그렸다.

하나님의 꿈을 품어라

내 마음속에 하나님의 꿈이 심겼고, 그 꿈이 자라서 싹이 트기 시작했다. 하나님이 심으신 꿈은 지금 중국 희망시(希望市, 기독교인 교사들과 학생들의 신변을 보호하기 위하여 책에서는 구체적인 지명을 밝히지 않는다. 가명에 주님의 희망이 머무는 곳이라는 의미를 담았다)에 열방중고등학교로 서 있고, 앞으로 더 많은 곳에 꿈의 싹을 틔울 것이다.

나는 다윗을 좋아해 그의 인생을 연구해본 적이 있다. 다윗이 쓴 시편을 보면 이런 고백이 나온다.

하나님이여 주(主)는 하늘 위에 높이 들리시며
주의 영광은 온 세계 위에 높아지기를 원하나이다 _시 57:11

이 시(詩)는 다윗이 왕으로 기름부음을 받은 이후에 지은 것이다. 그런데 그의 꿈은 '내가 왕이 되어서 이렇게 저렇게 하는 것'이 아니라 '주님이 하늘 위에 높이 들리시며 주님의 영광이 온 세계 위에 높아지는 것'이다. 더욱이 다윗은 이 시를 사울을 피하여 아둘람 굴에 숨어 있을 때에 지었다. 사울이 찾아낸다면 죽임을 당할 위기 가운데, 칠흑 같은 암흑으로 둘러싸인 동굴 속에서, 희망의 빛줄기라고는 찾아볼 수 없는 그곳에서 다윗은 하나님을 바라보았고 그분을 향한 꿈을 꾸었다.

나는 다윗을 보면서 아주 어둡고 긴 터널 속에서도 하나님을 향한 꿈이 있다면 모든 장애를 극복할 수 있다는 것을 배웠다. 내 마음의 공간을 꿈으로 채울 때, 내 안의 패배 의식, 상처, 우울함, 막연한 두려움, 걱정거리가 활동할 자리가 없어진다는 것을 알게 되었다.

많은 사람들이 현실의 장벽에 부딪혔을 때 꿈을 접고 믿음으로 앞으로 나아가지 못한다. 꿈이 흔들리면 이리 갈까, 저리 갈까, 차라리 돌아갈까 고민하게 된다. 나는 믿음으로 우리 인생을 주님께 걸려면, 믿음 이전에 꿈이 중요하다고 생각한다. 그 꿈은 바로 '하나님의 영광이 온 세계 위에 높아지는 것'이다. 이것이야말로 우리 인생이 품을 수 있는 가장 고귀한 꿈일 것이다.

중국에서 탈북자들을 많이 만났는데, 그들의 꿈은 거의가 먹는 것이었다. 육체적인 굶주림을 겪으면 먹는 게 꿈이 된다. 먹는 게 해결된 사람은 의사나 변호사와 같이 무엇이 되고 싶다거나 무엇을 이루고 싶다는 꿈을 꾼다.

그런데 성령님께 속해 있는 사람은 영(靈)의 꿈을 꾸어야 한다. 내가 출세하고 내 혼(魂)의 꿈을 성취하기 위해 예수의 이름을 이용하고 예수를 동원시키는 것이 아니라, 나의 온 마음과 온몸을 다해 주님의 영광을 높이기를 원해야 한다. 그런 꿈을 가지게 되면 어떤 장벽에 부딪히더라도 믿음으로 헤쳐나갈 수 있다.

chapter 05

믿음의 첫발을 떼어
요단강을 건너라

나는 학교 부지는 1만 평 정도에 학생 수는 1천 명 이내인 6
년제 중고등학교를 믿음의 눈으로 바라보았다. 학교 이름은 열방
의 족속에게 복음을 전한다는 의미에서 열방중고등학교(All
Nations School)로 정했다. 그리고 학교 위치를 인구 30만 명 정도
의 소도시 외곽에 있는 농촌으로 정하고 그 후보지를 물색해보았
더니, 희망시 주변이 적격이라는 생각이 들었다. 그에 따라 부지
구입비를 계산하니, 6천만 원 정도면 되겠다 싶었다. 물론 학교 건
물과 기숙사를 짓는 데 돈이 더 필요하겠지만, 우선 부지 구입비
를 위해 기도하기 시작했다.

2001년 11월부터 나는 아는 사람들에게 하나님의 비전을 나
누기 위해 열심히 발품을 팔고 다녔다. 첫 번째로 만난 사람은 산

호세에 있는 한 회사에서 간부로 일하고 계신 스티븐 집사님이었다. 내가 산호세에 있을 때부터 알고 지낸 그 분은 매년 여름마다 중국에 건너와서 나의 제자들에게 성경말씀을 가르쳐주시기도 했다. 그래서 나는 누구보다도 먼저 그 분에게 학교에 대한 비전을 이야기하고 싶었고, 후원금을 주실 거라고 내심 기대했다.

그러나 당시 내가 머물던 LA로부터 산호세까지 가서 학교 짓는 계획을 상세히 말씀드렸지만, 집사님은 경제적 후원에 대해서는 아무 말씀이 없으셨다. 나는 낙심한 채로 다시 짐을 싸서 LA로 돌아왔다.

그 뒤 많은 사람들을 만났지만, 학교를 위해 헌금을 하겠다고 나서는 사람이 아무도 없었다. 마음만이라도 함께해주기만 해도 좋을 텐데, 어떤 이들은 대책 없이 일을 벌이려 한다며 나를 비난했다. 나는 서러움이 복받쳐 올랐다. 사방을 둘러봐도 돕는 이가 하나도 없는 현실이 너무나 싫었다. 어떤 때는 내게 감당하기 힘든 일을 맡기신 하나님이 야속하게 느껴져서 이렇게 호소하기도 했다.

'하나님, 왜 절 이렇게 외롭게 만드십니까? 사람들이 저보고 대책 없다고 하는데, 하나님이야말로 대책 없는 것 아니신지요? 예전에 저한테 재산 좀 있을 때 이 일을 시키셨으면 제 자존심이 이렇게까지 구겨지진 않았을 겁니다. 그런데 선교지에서 학생들

과 함께 살고, 오갈 데 없는 꽃제비들 먹여 살리다 보니, 제가 벌어 놓은 돈은 없어진 지 오랩니다.'

두려움과 타협하지 말고 선포하라

날이 갈수록 내 마음은 점점 더 죄어들었다. 많은 사람들에게 중국에 청소년을 위한 중고등학교를 짓겠다고 이미 발표했는데, 이 일이 안 되면 난 어디 숨을 데도 없이 허풍쟁이가 되겠구나 하는 생각이 몰려왔다. 마음속으로 후회도 해봤다. 그렇지만 겉으로는 표현할 수 없었다.

마음이 힘들면 힘들수록 난 더 많은 사람들에게 더 큰 소리로 "하나님의 학교를 꼭 세우겠다!"라고 선포했다. 나는 하나님께서 주신 사명을 따라가는 길에서, 하나님의 일이 이루어지기 전에 먼저 '선포'하는 것이 아주 중요하다고 생각한다.

인간은 늘 흔들리고, 보이는 것만 보고 상황을 판단하게 되어 있다. 환경이 어렵고, 협력자가 없고, 게다가 방해꾼이 있으면 하던 일을 포기하기가 너무 쉽다. 그런 상황에서는 하나님께서 왜 못했느냐고 물으시면 "이것도 없고, 저것도 없고, 준비된 것이 하나도 없어서 할 수가 없었습니다"라고 변명할 수 있기 때문이다.

그런 인간의 습성을 생각할 때, 맡겨주신 사명을 이루겠다고 하나님과 사람들 앞에서 미리 선포하는 것은 매우 중요하다. '선

포'는 선포한 사람 스스로가 다른 생각을 못하게 퇴로(退路)를 차
단하는 것이다.

출애굽기 14장을 보면, 뒤에서는 애굽의 군대가 쫓아오고 앞
은 홍해가 가로막고 있는 상황에서 이스라엘 백성이 심히 두려워
하는 장면이 나온다. 모세도 두려워서 어떻게 해야 할 바를 모르
고 하나님께 부르짖었다. 그들은 완전히 독 안에 든 쥐처럼 보였
다. 도망갈 구멍이 전혀 없었다. 그때 모세가 백성들에게 이렇게
선포한다.

> 너희는 두려워 말고 가만히 서서 여호와께서 오늘날
> 너희를 위하여 행하시는 구원을 보라 _출 14:13

모세는 두려웠지만 하나님을 의지하고 그분께서 행하실 구원
을 선포했다. 그는 하나님께서 구체적으로 어떻게 역사하실지 알
지 못했다. 그러나 그가 믿음으로 선포했을 때, 하나님께서 홍해
를 갈라 이스라엘 백성을 구원해주셨다.

하나님께서는 여러 가지 방법으로 역사하신다. 하나님께서
우리 앞에서 어떻게 역사하실지는 아무도 알지 못한다. 그러나 이
방법으로든 저 방법으로든 하나님께서 우리를 구원하실 것은 분
명하다. 이 사실을 믿고 하나님께서 하나님의 일을 이루실 것을

선포하는 것이 믿음생활에서 정말 중요하다.

우리가 믿음을 선포하지 않고 두려움과 타협할 때, 우리의 머릿속은 여러 가지 계산으로 복잡해진다. 머릿속이 복잡한 사람은 무능력하다. 그런 사람에게는 승리가 없다.

믿음으로 사는 삶이란 아주 단순한 것이다. 무식할 정도로 단순하게 주님을 믿고 주님께서 하실 일을 선포하는 것이다. 주님께서는 주님의 나라를 위해 우리가 한 선포가 땅에 떨어지지 않게 하시고 주님의 방법으로 주님의 일을 이루신다.

예수께서 가라사대 내 말이 네가 믿으면
하나님의 영광을 보리라 하지 아니하였느냐 _요 11:40

믿음의 첫발을 내딛다

학교를 꼭 짓겠다고 선포는 했지만, 당장 하나님의 도우심이 눈에 보이지는 않았다. 나는 여전히 어찌해야 할 바를 몰랐다. 사람을 찾아다녀 봐도 별 소득이 없었다. 어떤 날은 답답한 심정에 영어로도 기도를 해봤다. 내가 미국 땅에 있으니까 하나님 귀에 영어가 더 친숙하게 들리지 않을까 싶어서였다. 얼마나 속이 타들어갔으면 콩글리시를 동원하면서까지 기도했을까.

Please open your heavenly bank and pour down all the money we need.

I need just 60,000 dollars. A piece of cake for you!

Father, do not hesitate to give us.

Are you in business trip?

하늘 창고를 여서서 필요한 돈을 내려주세요.

6천만 원이면 됩니다. 주님께는 떡 한 조각에 불과합니다.

아버지, 망설이지 마세요.

어디 출장 가셨나요?

기도라기보다는 거의 생떼 부리기였다. 그러나 영어 기도도 효과가 없었다. 그렇게 여러 날을 보내고 있던 중, 12월 초 어느 날 밤에 잠을 자다가 깼다. 더 이상 잠이 오지 않았다. 나는 뒤척거리며 하나님께 하소연을 늘어놓았다.

"도대체 이게 뭡니까? 저를 망신시키려고 작정하셨습니까? 저에게 차라리 사명을 주시지 말든지…."

그때 갑자기 내 마음속 깊은 곳에서 이런 음성이 들려왔다.

"네 믿음을 보여라. 믿음을…."

분명 하나님께서 주시는 음성이었다. 나는 그 말씀을 계속 반복해 입술로 되뇌었다.

"네 믿음을 보여라. 네 믿음을 보여라."

한참 되풀이하고 있는데, 갑자기 여호수아서 3장의 장면이 머릿속에 그려졌다. 이스라엘 백성이 요단강을 건널 때, 여호와의 궤를 멘 제사장들이 믿음으로 먼저 그 발을 요단강에 담그자 강물이 갈라져 그 백성이 강을 건너는 장면 말이다. 순간 이런 생각이 딱 떠올랐다.

'그래, 맞아. 요단강이 갈라지기만을 바라고 있을 게 아니라, 내가 먼저 믿음의 발을 떼야지 요단강이 갈라지는구나!'

나는 그러면 이 상황에서 내가 어떻게 요단강에 발을 담가야 하는지를 스스로에게 물었다. LA에서 가까운 캘리포니아 해변에 발을 담가 태평양을 가르는 것은 아닐 테고, 도대체 요단강을 가르는 믿음의 첫발이 무엇일까 생각하고 또 생각했다.

나는 한참 후에 드디어 알아냈다. 그것은 바로 학교 부지를 구입하기 위해 중국에 갈 비행기 표를 사는 것이었다. 출발하는 날까지 하나님께서 분명히 6천만 원을 채워주실 것이라는 내 믿음을 행동으로 표현해야 하는 것이었다.

나는 중국으로 떠나는 날짜를 2002년 1월 10일로 정했다. 당시로부터 그때까지 약 한 달간의 여유가 있었다. 날짜를 1월 10일로 정한 이유는, 여호수아와 이스라엘 백성이 요단강을 건넌 때가 첫째 달 십 일이었다고 여호수아서 4장 19절에 기록되어 있었기 때문이었다(물론 히브리 월력이 지금의 월력과는 다르지만).

나는 여호수아서를 오늘날에도 그대로 재현해보고 싶었다. 하나님께서 반드시 나를 1월 10일에 비행기 태워서 중국에 보내실 거라고 믿었다. 확신에 겨워서 나는 이렇게 외쳐댔다.

"돈이 있든 없든 무조건 중국에 갑니다. 아니면 내 마누라 팔아서라도(?) 갈 겁니다!"

아내를 팔 일은 절대 없을 거라는 믿음으로 드리는 '막무가내' 기도였다.

실직한 청년의 종잣돈 헌금

덜컥 비행기 표를 구입해놓았는데, 아무 소득 없이 열흘이 흘러가버렸다. 그렇지만 내 마음은 지극히 평안했다. 그러다가 12월 20일쯤 명현이 전화를 했다. 그는 당시 나를 후원하던 성도와 친분이 있었는데, LA에서 회사를 다니면서 나와도 가깝게 지냈다.

"최 박사님, 제가 직장을 다니면서 지난 6개월간 조금씩 저축을 했습니다. 그 금액이 백만 원이거든요. 제가 이걸 헌금하고 싶은데요."

솔직히 난 명현의 말에 너무 놀랐다. 그때까지 그는 평소에 진지한 모습이 조금 적었던 청년으로 내 기억 속에 있었기 때문이었다.

그래서 나는 이렇게 물었고, 그의 대답을 듣고 다시 한 번 놀랐다.

"정말 기특하구나. 그런데 웬일로 이런 생각을 하게 됐니?"

"네, 실은 성탄절이 다가오면서 하나님이 나를 위해 예수 그리스도라는 선물을 주셨는데 나도 누군가에게 선물을 해야겠다고 생각했어요. 기도하면서 하나님 사역에 헌금을 하면 좋겠다 싶었고, 최 박사님이 생각났습니다."

이렇게 해서 명현이 단미션에 백만 원을 헌금했다. 나를 더 감동시킨 사실은 그때 그가 일주일 전에 실직을 당한 상태였다는 것이다. 그는 직업이 웹 마스터였기 때문에 프리랜서로 일하려면 백만 원 정도 되는 서버용 컴퓨터를 사야 했지만, 그럼에도 불구하고 그 돈을 꼭 헌금하고 싶다고 했다. 나는 그가 정말 기특해서 이렇게 말했다.

"너의 귀한 마음을 하나님께서 정말 기뻐하실 것 같다. 분명 너의 헌금이 종잣돈이 되어 단미션 사역이 크게 일어날 거야."

그런데 그로부터 정확히 3일 후에 서동민 장로님이 내게 전화를 하셨다. 서 장로님은 내가 그 분이 섬기는 얼바인베델교회에 초청되어 선교사로서의 삶에 대해 간증을 나눈 이후로, 나와 계속 친교를 나누고 단미션의 이사로도 봉사해주시는 분이다.

"최 박사, 혹시 컴퓨터 필요하지 않아요?"

"갑자기 웬 컴퓨터요?"

"우리 교회에 컴퓨터 사업을 하는 분이 있는데, 사업이 잘 안 되는 것 같아 도와드릴 겸 한 대 샀어요."

서 장로님은 이어서 액수를 말씀하셨다.

"백만 원 가까이 들었어요. 필요하면 얘기해요. 당장 보내줄 테니까."

나는 순간 명현의 얼굴이 떠올랐다. 그래서 서 장로님께 쓸 데가 있을 것 같으니 컴퓨터 사양서를 이메일로 보내시라고 했다. 그리고 이메일을 받자마자 명현에게도 그것을 보내주었다. 이내 전화벨이 울렸다. 명현의 전화였다.

"최 박사님, 이 컴퓨터 제가 사려고 했던 그 기종입니다."

나는 너무 놀라서 나도 모르게 벌떡 의자에서 일어섰다. 혹시 잘못 들은 것은 아닌지 나의 귀를 의심하면서 멍한 표정으로 잠시 서 있었다. 그리고 곧 정신을 가다듬고 잽싸게 서 장로님에게 달려가 컴퓨터를 받아 명현에게 전달해주었다.

이 일을 통해 깨달은 것이 있다. 바로 하나님께서 내 눈앞에서 일하고 계신다는 것이다. 하나님께서는 본격적으로 그분의 일 하심을 내가 목격할 수 있게 표현하기 시작하셨다. 한 형제로 하여금 비록 실직당했지만 헌신의 마음을 담은 종잣돈 헌금을 하게 하시더니, 다른 길을 통하여 그에게 필요한 컴퓨터를 안겨주시는 그 세밀하고도 자비로우신 하나님을 경험하고 나니, 나는 기대가 한껏 부풀어 올랐다.

선교에 대한 뜨거운 마음

얼마 후, 11월 말에 찾아간 적이 있는 산호세의 스티븐 집사님으로부터 연락이 왔다. 직장 일 때문에 LA에 출장을 오니 잠깐 만나자고 하시는 것이었다. 약속한 날, 그 분이 헌금을 주시는데 1천만 원이었다. 하나님께 내 믿음을 보였더니, 그사이 집사님의 마음을 움직여주신 것이었다.

그리고 또 다니엘이라는 청년도 헌금을 했다. 그는 나와는 LA 온누리교회의 집회에서 처음 만나 알고 지냈는데, 샌디에이고(San Diego)에 위치한 한 회사의 엔지니어였다. 그 무렵 그는 방글라데시에 단기선교를 다녀왔다고 한다. 그곳에서 그는 빈곤에 허덕이며 온갖 질병을 달고 사는 뼈쩍 마른 어린아이들을 위해 수고했다. 그런데 돌아와서도 선교에 대한 마음이 더욱더 뜨거워져서 무언가 더 해야겠다는 생각이 들었던 모양이다. 그가 내게 말했다.

"회사 다니며 장가갈 밑천으로 마련해놓은 돈이 천만 원 있는데, 장가는 못 가더라도 선교는 해야겠습니다. 이 돈을 하나님나라를 확장하는 데 써주세요."

그런데 일주일 후, 다시 다니엘로부터 연락이 왔다. 그가 전해준 소식은 놀라웠다.

"제가 단미션 선교회에 헌금하고 나서 3일 뒤에 저희 사장님이 저를 부르시더군요. 그러면서 하시는 말씀이 그동안의 제 실적을 평가했는데, 제 능력보다 월급을 적게 주었다는 겁니다. 그래서 이제부터 월급을 더 올려주겠다는 거에요. 장가갈 밑천 확실하게 마련될 것 같습니다. 하하하!"

다니엘의 호탕한 웃음을 들으며 나는 하나님을 찬양했다.

그 후로도 하나님은 바쁘게 움직이셨다. 그래서 1월 9일까지, 내가 기도한 금액 6천만 원 중에서 5천만 원을 채워주셨다. 나는 전혀 기대하지 못했던 방식으로 놀랍게 임하시는 하나님의 은혜에 그저 감격할 따름이었다.

정확하게 채워주시는 하나님

그때 내가 예약한 비행기는 1월 10일 0시 20분에 이륙하는 비행기였다. 비행기를 타려면 전날 저녁 9시쯤 공항으로 출발해야 했다. 공항으로 가기 전 우리 부부는 지금은 베트남에서 한인 목회를 하고 계신 한바울 목사님의 사모님과 저녁식사를 함께했다. 한 목사님은 캐나다에서 열린 어느 집회에서 우연히 뵙게 된 후, 주님 안에서 내가 영적(靈的) 아버지로 모시고 있는 분이다.

식사 후 서로 작별 인사를 나눌 때, 사모님이 내게 하얀 봉투를 건네주시면서 말씀하셨다.

"최 박사, 얼마 없데이."

나는 중국에 가면 점심이나 사 먹으라고 용돈을 주시는 줄로 지레짐작하고는 가벼운 마음으로 이렇게 농담했다.

"에이, 사모님도, 관두시지 마시지요, 하하."

식당에서 나와서 나와 아내는 집에 들러서 짐을 챙겼다. 공항으로 가야 할 시간이 임박해 있었다. 짐을 챙기다가 나는 사모님이 주신 봉투 속에 얼마가 있을지 궁금해졌다. 잘 다녀오라는 편지와 함께 10만 원 정도 들어 있겠거니 하면서 봉투를 뜯었다. 예상대로 편지가 들어 있었고, 개인수표 한 장이 반으로 접혀 있었다.

나는 수표를 펴 보았다. 그와 동시에 내 입이 딱 벌어졌다. 몇 분간 정적이 흐르는 듯했다. 그리고 심장이 빠르게 뛰고 숨이 거칠어지는 것 같더니, 급기야 콩닥콩닥 하는 심장 고동 소리가 내 귀에까지 들릴 정도가 되었다. 드디어 내 입에서는 정적을 깨는 천둥 같은 소리가 밖으로 뻗어 나왔다.

"여, 여, 여, 여보! 여보! 아아."

나는 무슨 일이 일어났나 하여 놀래서 달려온 아내를 덥석 끌어안았다. 아내의 얼굴에 뽀뽀를 해대고, 뼈가 으스러지도록 두 팔로 아내를 꽉 껴안았다. 그리고 아내 손을 잡고 풀쩍풀쩍 뛰고 또 뛰었다. 그 돈은 십만 원이 아니라 천만 원이었다. 봉투 속에서 천만 원짜리 수표가 마치 기다렸다는 듯이 환한 미소로 나에게 윙크하고 있었던 것이다! 그렇게 하나님께서는 비행기가 떠나기 세 시간 전에 우리가 기도했던 6천만 원을 정확하게 채워주셨다.

우리 손에 있는 것 하나 없어도

아내는 솔직히 내가 처음 열방학교를 세운다고 했을 때, 도대체 내가 뭘 믿고 저러나 싶었다고 한다. 손안에 쥐고 있는 것은 하나도 없으면서 무슨 뚱딴지같은 소리를 하나 했던 것이다. 그러나 지금까지 하나님께서 나와 함께하시면서 이뤄주신 일들을 옆에서 보아온 이상, 함부로 나를 막으면 왠지 주님께 불경죄를 범하게 될 것 같아서 차마 말리지 못했다고 한다.

"가끔 난, 내가 지금 간덩이가 부은 사람과 같이 사는 게 아닌가 하고 의심이 될 때가 있어요."

아내가 가끔 사람들이 모인 자리에서 농담으로 하는 말이다. 아내나 다른 사람들 눈에, 하나님께서 주신 일이라면 미친 사람처럼 뛰어드는 내가 간이 부은 사람처럼 보이는 것도 당연할 것이다. 하지만 나는 주님께서 말씀하실 때 주변을 돌아보고, 뒤를 돌아보고, 혹시 잘못되지 않을까 염려하는 것은 믿음 있는 사람의 모습이라고 생각하지 않는다. 그저 단순하게 주님의 말씀에 몸을 던지는 것이 우리 믿는 사람들이 보여야 할 행동인 것이다.

우리 가족이 손안에 아무것도 없이 다시 미국으로 건너왔을 때, 주변 사람들은 우리가 제대로 먹고살 수는 있을까, 저러다가 자식 공부는 제대로 시킬 수 있을까 염려를 해주었다. 걱정해주는 것은 고맙지만, 나는 솔직히 그 점은 걱정이 안 되었다. 내 안에 이런 믿음이 있었기 때문이다.

'내가 하나님 일을 이렇게 온몸을 던져서 하는데, 하나님께서 우리를 굶겨 죽이기야 하시겠어?'

남들 눈에는 내가 가족 생각은 뒷전으로 미룬 가장(家長)으로 보였을지 모르지만, 나는 오히려 가족을 생각하기 때문에 더 열심히 죽으면 죽으리라는 각오로 하나님 일을 했다. 하나님께서 나의 가장 커다란 비빌 언덕이었고, 내가 기댈 곳이 주님 품밖에 없었기 때문에 주님만 의지하는 것이 내 삶의 최고 전략이었다.

정말로 우리는 하나님께서 예비하신 사람들을 통해 보내주시는 돈으로 하루도 굶지 않았고, 딸도 대학까지 공부를 시킬 수 있었다. 그리고 중국에 열방중고등학교를 세운 것은 물론, 지금은 주님을 위해 유치원과 초등학교 등까지 짓고 있다.

이처럼 손안에 아무것도 없는 우리를 통하여 하나님께서 이루시는 일들은 신기하다 못해 환호성이 저절로 나올 정도로 놀랍기만 하다.

주 여호와여 주께서 주의 크심과 주의 권능을
주의 종에게 나타내시기를 시작하셨사오니
천지간에 무슨 신이 능히 주의 행하신 일
곧 주의 큰 능력으로 행하신 일같이 행할 수 있으리이까 _신 3:24

비행기 화장실 변기를 감싸 안다

2002년 1월 10일, 드디어 나는 LA 공항에서 비행기에 몸을 실었다. 극도의 설렘과 흥분은 사라질 줄을 몰랐다. 나의 사기는 파죽지세(破竹之勢) 그 자체였다. 성난 파도가 덮쳐 와도 맞서 이길 수 있을 것 같았다. 비행기가 이륙하는 순간 나는 마음속으로 말했다.

'여호수아는 믿음으로 요단강을 건넜지만, 나는 지금 믿음으로 태평양을 건너는구나. 아니, 하늘을 가르고 있구나!'

모세가 홍해를 건넜을 때, 그리고 여호수아가 요단강을 건넜을 때 어떤 기분이었을지 나는 충분히 알고도 남았다. 내가 그때 바로 그 기분이었기 때문이다. 하나님의 역사하심을 내 두 눈으로 보았고, 내 손으로 만져보았다. 아니, 내 온몸으로 체험했다.

비행기가 나는 동안, 나는 내내 노래가 절로 나오고, 엉덩이가 들썩거리고, 입이 가로로 벌어졌다. 그러나 영문 모르는 옆 사람이 자꾸 힐끔힐끔 쳐다보았기 때문에 신경이 쓰였다. 북받쳐 오르는 기쁨과 흥분을 기내에서 제대로 표출할 방법이 없었다.

'지금 기분으로는 비행기 유리창을 깨고 하늘을 날 수도 있을 것 같은데, 이 감격을 어떻게 풀어야 하지?'

그러던 중 한 가지 기발한 아이디어가 떠올랐다. 나는 냅다 화장실로 달려갔다. 그러고는 변기를 감싸 안고 얼굴을 그 안에 묻고는 잽싸게 변기 버튼을 눌렀다. "쏴" 소리를 내며 공기가 빨려 들어가는 그 순간을 이용해 난 이렇게 외쳤다.

"야호!"

흥분과 감동의 도가니였던 비행기 여행이 끝나고 나는 드디어 중국 희망시에 도착했다. 거의 스물다섯 시간이 걸렸지만 지루한 줄 몰랐다. 마냥 꿈속에 떠 있었다.

하나님께서 붙잡고 계시다

대책 없이 학교를 짓겠다고 선포했던 때를 돌이켜보면, 마치 나이아가라폭포처럼 거대한 폭포 사이의 외줄 위에서 줄타기를 하고 있는 내 모습이 그려진다. 그 폭포 아래서 많은 사람들이 나를 보고 가슴을 졸이면서 이렇게 말한다.

"저러다 떨어질 텐데."

그렇지만 그들은 볼 수 없지만 하나님께서 나를 붙잡고 계시므로 나는 폭포 아래로 절대로 떨어지지 않는다. 나를 붙잡고 계신 분이 전능하신 하나님이시기 때문이다. 나는 이 사실을 사람의 눈으로는 절대 불가능해 보였던 학교를 세우면서 직접 경험했다.

만군의 여호와께서 말씀하시되
이는 힘으로 되지 아니하며 능으로 되지 아니하고
오직 나의 신(神)으로 되느니라 _슥 4:6

하나님의 일은 우리의 힘이나 능력으로 되는 것이 아니다. 그것은 오직 하나님의 신(神)인 성령으로만 되는 것이다. 그러므로 우리가 해야 할 일은, 우리를 하나님나라를 위한 도구로 사용해주시는 하나님께서 우리를 붙잡고 계시다는 사실을 믿고 그분의 능력을 의지하는 것이다.

너는 마음을 강하게 하고 담대히 하라
그들을 두려워 말라 그들 앞에서 떨지 말라
이는 네 하나님 여호와 그가 너와 함께 행하실 것임이라
반드시 너를 떠나지 아니하시며 버리지 아니하시리라 _신 31:6

chapter 06

큰 산을 평지처럼 여기고 거침없이 나아가라

2002년 1월 11일, 희망시 공항에는 류봉뢰가 마중 나와 있었다. 그는 내 대학 제자의 형으로, 대학 졸업 후 그의 고향인 희망시에 돌아와 살고 있었다. 동생 때문에 나를 알게 된 후로 그는 단미션 사역을 동역해왔다.

한겨울이라 차가운 공기가 피부 속까지 파고들었다. 우리는 미리 불러놓은 택시를 타고 도시 외곽 지역에 있는 호텔로 향했다. 시내를 관통하고 시골로 향하면서 광활한 벌판이 눈에 들어오기 시작했다. 나는 옆에 앉은 류봉뢰에게 놀라움을 토했다.

"그늘 하나 없는 눈벌판이구나. 여기에 우리 학교를 지으면 얼마나 좋을까!"

"그러게 말이에요. 지금은 황량하지만, 앞으로 크게 발전할

가능성이 있어 보입니다."

그때 우리가 본 곳은 인구 천만의 도시인 희망시에서 바로 강만 건너면 되는 외곽 지역이었다. 우리는 잠시 차에서 내려 그 지역을 둘러보았다. 마음속에서 왠지 여기다 싶은 생각이 들었다.

깃발부터 꽂아라

우리는 그 다음 날부터 일주일 내내 하나님께서 열방학교 부지로 예비해두신 땅을 찾아다녔다. 하지만 마땅한 땅을 발견할 수 없었고, 기도할 때마다 첫날 본 벌판이 자꾸 생각났다. 그래서 그 벌판을 다시 찾아가 정탐을 하기로 했다.

그날 우리는 깃발을 들고 갔다. 내가 미국에서부터 류봉뢰에게 미리 만들어놓으라고 지시한, 학교 이름이 적힌 깃발이었다. 처음에 나는 땅을 구입하면 그 깃발을 꽂으려고 했다. 그러나 우리에게는 지금 당장 믿음의 깃발이 절실히 필요했다.

주를 경외하는 자에게 기(旗)를 주시고
진리를 위하여 달게 하셨나이다 _시 60:4

그래서 우리는 땅을 구입하기 전에, 하나님께서 마음을 주신 그 땅에 깃발부터 먼저 꽂기로 결심했다. 마치 결전장에 나가는 용사처럼 비장한 각오로 내린 결정이었다.

류봉뢰의 고등학교 동기들 중에 기독교인 친구들이 동행해주었다. 깃발을 든 나를 선두로 우리는 다 같이 행군했다. 그리고 벌판 깊숙이 들어가 깃발을 꽂고는 주위를 빙빙 돌았다. 그러면서 헤브론 땅을 취하고자 하는 갈렙의 심정으로 소리 높여 기도했다. 그 장면을 본 사람이 있다면 아마 미친 짓 한다고 생각했을 테지만, 우리는 우리의 믿음을 하나님께 보인 것이었다.

"이 땅을 지금 내게 주소서! 이 땅이 아무리 크고 견고할지라도 하나님께서 나와 함께하시면 내가 이곳을 취하겠습니다!"

우리는 그 땅 주인을 찾아 나서기로 했다. 당시만 해도 중국에 부동산 중개소가 거의 없었기 때문에, 땅을 사고 싶은 사람이 직접 주인을 찾아 나서야 했다. 우리는 땅 주인을 찾는 일이 숨은 그림찾기와 같을지라도 절대로 포기하지 않겠다고 다짐했다.

그날은 하늘이 유난히 맑고 바람 한 점 없었다. 내리쪼이는 햇빛이 눈밭에 반사되어 눈이 부실 정도로 맑은 날이었다. 햇빛을 가려가며 눈밭을 헤집고 다니는 사이에 어느덧 점심때가 됐다.

우리는 인근 식당을 찾아갔다. 식당 종업원에게 주문을 하면서 혹시나 하고 우리가 본 땅에 대해 물어보았다. 그 종업원의 대답 가운데서 우리는 뜻밖의 정보를 얻을 수 있었다.

"이 일대의 땅은 마음대로 사고팔 수 없어요. 시(市) 정부에서 개발계획을 확정했거든요. 개발구청이 농민들로부터 땅을 사들여서 투자자를 유치하며 분양하고 있어요."

희소식이 아닐 수 없었다. 농지를 사면 용도 변경을 하는 데만도 시간이 이만저만 오래 걸리지 않는다. 그러나 우리가 사려는 땅에는 그런 과정이 필요 없기 때문에, 시간과 정력을 아낄 수가 있는 것이다.

우리는 당장 개발구청을 찾아가 그 지역의 조감도와 개발 청사진을 구경했다. 개발구청은 지역 발전에 대한 거대한 계획을 가지고 있었다.

큰 산아 네가 무엇이냐

우리는 하나님의 예비하심으로 땅 주인을 쉽게 찾았지만, 새벽이슬 같은 영혼들이 공부하고 뛰놀고 복음을 들을 귀한 땅을 사는 일에 신중을 기하고 싶었다. 그래서 우리보다 먼저 이곳에 와서 기업을 하는 선배 투자자에게 자문을 구하기로 결정했다. 그때부터 택시까지 대절해서, 나와 말이 잘 통할 수 있는 한국에서 온 기업가를 찾아 그 지역 일대를 샅샅이 뒤졌다. 그러나 오후 내내 뒤졌음에도 불구하고 찾지 못했다.

우리는 피곤한 몸을 이끌고 호텔에 돌아왔다. 하나님의 도우심이 절대적으로 필요하다는 것을 느꼈다. 나는 동료들에게 절대 실망하거나 낙심하지 말 것을 당부하며 성경을 펼쳤다. 그때 우리가 함께 읽은 성경말씀은 스가랴서 4장 6절과 7절이었다.

> 만군의 여호와께서 말씀하시되
> 이는 힘으로 되지 아니하며 능으로 되지 아니하고
> 오직 나의 신(神)으로 되느니라 '큰 산아 네가 무엇이냐'
> 네가 스룹바벨 앞에서 평지가 되리라
> 그가 머릿돌을 내어놓을 때에 무리가 외치기를
> 은총, 은총이 그에게 있을지어다 하리라 _슥 4:6,7

나는 이 말씀에서 "큰 산아 네가 무엇이냐"라는 구절을 하나님 편에서 한번 읽어보았다.

"야, 거기 큰 산, 네가 무엇이냐? 하하하! 내 능턱에 비하면 넌 정말 우습구나."

그러고 나니 용기가 샘솟았다. 나의 힘이나 능력에서 오는 용기가 아니라 하나님의 영(靈)을 의지함으로 오는 용기였다. 우리는 주님께 이렇게 기도했다.

'우리는 아무 능력이 없습니다. 이 일은 오직 주님의 영으로만 가능합니다. 우리 앞에 아무리 큰 산과 장벽이 놓여 있을지라도 주님 앞에서 모두 평지가 될 것입니다. 그것을 믿습니다.'

내가 사자를 네 앞서 보내어

그 후 하나님께서 우리 눈앞의 큰 산을 어떻게 평지로 만드셨는지를 떠올리면 나는 하나님을 찬송하지 않을 수 없다.

우리는 스가랴서 말씀을 묵상한 바로 다음 날 저녁, 한국의 유명한 주식회사와 관련이 있어 보이는 회사 푯말을 희망시 거리에서 발견했다. 실제로 그 회사는 한국의 기업이 투자한 회사였다. 거기에서 우리는 그 회사의 책임자로 경상도 사투리를 억세게 쓰는 재중교포 한 분을 만나게 되었다. 우리가 이곳에 온 목적에 대해 이야기하자, 그도 자신의 회사에 대한 이야기를 들려주었다.

"처음 이 회사가 세워질 때, 이 동네는 그야말로 호롱불을 켜고 사는 촌이었습니데이. 그런데 우리 기업 회장님이 바로 이 자리를 지정해 회사를 세웠십니다. 우리 회사가 발단이 돼서 정부에서는 이 지역을 개발구로 지정해가꼬 정책적으로 발전을 추진하고 있십니더. 그래서 시 간부들이 우리 얘기라면 뭐든지 들어준다 아입니꺼. 시장부터 해가꼬 마 개발구청장 등등이 우리와 아주 친하게 지내고 있십니더."

전혀 예상치 못한 그의 이야기에 깜짝 놀라서 나는 마음속으로 하나님께 기도했다.

'하나님, 이 사람의 도움을 받을 수 있도록 도와주십시오.'

그리고 그에게 식사를 대접하겠다고 거듭 요청하여 따로 시간을 내 그를 만났다. 우리는 그 자리에서 더 많은 이야기를 나누었다. 그때 나는 한 가지 궁금했던 것을 그에게 물어보았다.

"그런데 어떻게 선생님의 회사 회장님은 그토록 편벽했던 이곳에 회사를 세우실 생각을 하셨습니까?"

"사연이 있지예. 회장님이 일제 시대 때 희망시에서 태어났다고 합니더. 그런데 열여덟 살에 해방이 돼가꼬 한국으로 가서서 무역업을 시작해가꼬마 회사를 크게 키웠십니더. 그러다가 1990년대 초에 노년이 되가꼬 이곳을 찾아와 죽기 전에 고향을 위해 뭔가 공헌할 결심으로 이 회사를 세운 거라예."

그와 나는 마치 오래된 친구를 만난 것처럼 스스럼없이 이야기를 나누었다. 마침내 그의 입에서 이런 말이 나왔다.

"내가 여러분들 보니께 착한 사람들 같고예, 젊은 사람들이 숭고한 사업을 하겠다는데, 내 일처럼 노와주셨십니더. 내일부디 나와 함께 다닙시데이. 여기 책임자들을 한 명 한 명 소개해드리겠십니더."

오케이, 할렐루야! 나는 속으로 박수를 쳤다. 어떻게 이런 일이 벌어질 수 있을까? 일이 이렇게 쉽게 풀리다니 너무 놀라웠다. 갑자기 새 하늘과 새 땅을 만난 기분이었다. 하나님께서 시내산에서 모세에게 가나안 땅에 대하여 약속하신 말씀이 생각나는 순간이었다.

내가 사자(使者)를 네 앞서 보내어 길에서 너를 보호하여
너로 내가 예비한 곳에 이르게 하리니 _출 23:20

나는 하나님께서 열방학교를 이곳에 세우시기 위해 우리가
오기 12년 전에 미리 오셔서 그 회사를 세우셨나 싶었다. 아니 그
게 아니라, 하나님께서 열방학교를 통한 하나님나라의 꿈을 이루
시기 위해 75년 전에 그 기업의 회장을 희망시에 태어나게 하신
것이다. 아니 그게 아니라, 그 회장의 아버지로 하여금 90여 년 전
에 한국을 떠나 희망시에 오게 하신 이유가 바로 이때를 위함은
아니었을까. 나는 그렇게밖에는 생각할 수 없었다.

꿈의 땅에 키스하다

열쇠가 되는 사람을 하나님께서 만나게 하심으로 우리는 순
조롭게 일을 추진해나갈 수 있었다. 그런데 개발구청에서는 우리
가 깃발을 꽂은 허허벌판이 아니라 이미 개발이 다 되어가는 다른
지역을 학교 부지로 추천해주었다.

사실, 일의 수월성 개념으로 보면 개발 지역에 들어가는 것이
훨씬 매력적이었다. 그러나 그 지역에는 회사들이 이미 많이 들어
와 있어서 교육환경이 좋지 않을 것 같았다. 한편 미개발 지역은
아직 아무것도 없기 때문에 교육환경이 좋고 안 좋고를 따질 것이

없었다. 그렇다면 앞으로 그곳이 교육지역으로는 더 개발 가능성이 높지 않을까 하는 생각이 들었다.

솔직히 처음에 우리는 '개발 지역이냐, 미개발 지역이냐'라는 문제를 놓고 설전을 벌이기도 했다. 류봉뢰의 친구들을 비롯한 우리 일행 여섯 명은 정확히 반반으로 의견이 갈리었다.

그러나 중요한 것은 우리의 뜻이 아니라 하나님의 뜻이었다. 우리는 하나님의 뜻을 구하는 시간을 가졌다. 하나님의 음성을 정확히 듣는 것이 무엇보다 중요했다. 우리는 성령께서 우리 각자의 마음을 움직이시고 확신을 주셔서 한 가지 의견으로 모아달라고 기도했다.

하루 동안 기도의 시간을 가진 뒤, 우리는 각자가 기도한 결과를 이야기했다. 그런데 놀랍게도 그 결과가 모두 같았다. 미개발 지역에 학교를 세워야 한다는 것이었다. 비록 시름은 힘들지라도 하나님을 의지하고 미래를 향해 나가겠다는 결론이었다.

우리는 개발구청 책임자를 만나 아직 아무도 들어오지 않은 지역을 원한다는 말을 전했다. 그는 우리를 이해할 수 없다며, 우리가 깃발을 꽂고 기도한 땅, 그곳은 앞으로 10년이 흘러도 개발이 안 될 거라고 장담했다. 그는 이렇게 덧붙였다.

"당신들 혹시 제정신입니까? 거긴 그저 옥수수 밭입니다. 현재 건축을 할 수 없는 땅입니다. 도로와 전기는 건축의 기본 아닙니까? 우리가 그렇다고 당신들만을 위해서 도로를 건설해줄 수 있겠습니까?”

걱정해주는 것은 고마웠지만, 우리는 리어카를 끌고 다니면서라도 벽돌을 나르고, 물이야 지하수를 파면 될 거고, 전기는 자가 발전기라도 가져다가 건축하겠다고 끝까지 고집했다. 결국 개발구청 관리들이 손들고 말았다. 우리는 우리가 원하는 땅을 계약하는 단계에 이르렀다. 정말 놀라운 일이었다.

계약서에 사인한 후에 우리는 하나님이 허락하신 꿈의 땅으로 다시 가보기로 했다. 믿음의 깃발을 꽂아놓은 그 땅으로 미끄러지듯 달려갔다. 그리고 눈밭에 엎드려 뜨거운 입김을 내뿜으며 땅에 키스를 연신 해댔다. 아예 땅에 누워 팔을 휘두르며 하늘을 향해 기쁨의 환성을 올렸다.

“하나님! 진짜 절묘하십니다!”

시간이 어느 정도 경과하여 흥분이 가라앉자, 우리는 손에 손을 잡고 기도하기 시작했다.

눈에 보이는 것 아무것도 없었지만
주님은 믿음을 보이는 것이 무엇인지 가르쳐주셨습니다.
하늘을 가르서서 우리가 태평양을 건너게 하셨습니다.
이제 우리는 벌판 위에 깃발을 꽂았습니다.

바람만 세차게 부는 황무지 같고

양떼들과 소 무리들이 휘젓고 다녔던 땅이지만,

옥수수 뿌리만 앙상하게 남아 있는 허허벌판이지만

하나님의 마음이 담긴 비파 소리가 들리는 듯합니다.

이들은 불가능할 것이라 의심하지만

저들은 이해할 수 없다는 듯 우리를 보고 있지만

주님께서 예비하신 땅에 우리는 서 있습니다.

곧이어 복음의 터전이 만들어질 것을 바라보면서.

내 영혼이 내 영광인 이유, 내가 정말 특별하고 가치 있고 귀중한 이유는 주님께로 내 마음이 확정되었기 때문이다. 주님의 힘이 세상의 그 어떤 힘보다 강하기에, 주님께 인생을 건 내 영의 힘 역시 진정으로 강하다. 주님은 우리에게 그 영의 힘을 잠재우지 말고 하나님나라를 위해 쓰라고 요구하신다.

주님께 올인한 인생이 **3**부
누리는 자유와 능력

chapter 07

'철밥통' 직업보다 영원한 주님의 제자가 된다

언젠가 나는 내 대학 제자인 자오리밍에게 꿈을 물은 적이 있다. 아직 예수님을 영접하기 전이었던 그는 '층집'이라는 아파트에서 사는 것이 꿈이라고 말했다. 그리고 그러기 위해서 도시로 나와 열심히 공부해야만 했다고 말했다.

비단 그뿐만 아니라 다른 제자들과 나 역시 오직 이기적인 욕망만을 따라 살았다. 그런 우리에게 예수 그리스도는 또 다른 '가치'를 보여주셨다.

이제 그분이 보여주신 특별한 가치에 인생을 걸어야 할 때가 왔다. 2002년 1월 학교 부지를 산 후 나는 제자들에게 연락을 했다. 함께할 사람들을 모으기 위해서였다. 제일 먼저, 학교를 졸업한 후 칭다오에서 생활하고 있는 량동휘에게 전화를 걸었다.

"량동휘! 우리가 학교를 세울 땅을 샀다. 이제 본격적으로 일을 시작해야 하는데 함께하지 않을래?"

"교수님, 저는 최근에 직장을 그만두고 사업을 시작해서 접을 수가 없습니다. 교수인 아내도 학교에서 우수 교수로 승승장구하고 있고요. 저희는 지금 아름다운 해변 도시에서 잘 살고 있습니다."

이어서 다른 제자들에게도 연락을 했지만, 함께할 사람을 모으기가 쉽지 않았다. 제자들은 여전히 예수님을 믿고 있었지만, 자신이 누리던 익숙한 것들을 버리고 주님께 인생 전부를 거는 결단을 쉽게 하지는 못했다.

나는 내 제자들과 함께 주님을 위한 학교를 세워나가겠다는 계획이 무산될지도 모르는 상황에서 매우 조바심이 났다. 제자들이 아니라면 누구로 교사를 채워야 하나 하는 생각에 마음이 불안했다. 몇 년 전 애심고아원 뒷산에서 나눈 우리의 비전을 그새 잊어버린 제자들에게 섭섭한 마음도 들었다.

하지만 나 역시, 처음 중국 선교를 결단할 때 안정된 직장과 주님이 주신 비전 사이에서 갈등하지 않았는가? 세상 것을 잃지 않으려고 발버둥 치던 그때, 주님께서 불꽃같은 눈으로 내 심중을 꿰뚫어 보시며 주님을 위해 전부를 걸 때 잃는 것처럼 보이더라도 오히려 전부를 얻게 된다는 것을 가르쳐주셨다. 그 덕분에 나는 세상이 줄 수 없는 평안과 자유로움을 느끼며 자원하는 마음으로 주님께 인생을 걸게 되었다. 나는 그 일이 제자들의 마음속에서도 일어나길 원했다.

그와 더불어 나는 내 마음속에서 주님을 향한 신뢰가 더욱더 강렬하게 일어나기를 기도했다. 그러자 나를 나 자신만 사랑하는 자아(自我)의 땅에서 인도하여 이곳으로 이끄신 주님께서 앞으로 필요한 모든 것을 공급해주시리라는 믿음이 내 안을 가득 채우게 되었다. 그 믿음으로 나는 이렇게 외쳤다.

" '네 입을 넓게 열라 내가 채우리라'라고 말씀하신 하나님! 제가 입을 넓게 엽니다. 헌신자들을 보내주세요."

나는 너를 애굽 땅에서 인도하여 낸 여호와 네 하나님이니
네 입을 넓게 열라 내가 채우리라 _시 81:10

진정한 꿈을 찾아서

2002년 3월, 그때까지 LA에 남아 있던 아내와 산호세의 스티븐 집사님이 희망시를 방문하기로 했다. 때를 맞춰 나의 제자들 중 다섯 명도 이곳을 방문했다. 특히 량동휘는 전화상으로만 제안을 거절하는 것이 예의에 어긋난다고 하면서, 직접 얼굴을 보고 말씀드리겠다고 칭다오에서 희망시로 왔다. 층집에서 사는 게 꿈

이라던 자오리밍도 당사 유학하고 있던 미국에서 잠시 틈을 내어 방문했다.

나는 멀리 제자들이 걸어오는 모습을 보면서 성령님께 그들의 마음을 움직여달라고 간절히 기도했다. 그들이 한 발짝 한 발짝 내게 다가오면서, 나와의 마음의 거리도 그만큼 좁혀지길 원했다. 간절한 기도에 성령님이 역사하기 시작하셨다. 제자들 모두 학교 부지에 도착하자마자 자기도 모르게 탄성을 질렀다.

"아!"

이 땅의 광활함에 입이 벌어졌던 것이다. 그러나 나는 제자들이 이 땅보다 더 광활한 하나님의 꿈을 볼 수 있기를 바랐다.

'성령님, 이들이 영의 눈을 들어 이곳에 하나님의 꿈이 심겨 있다는 것을 볼 수 있게 해주세요.'

성령님은 그들의 마음을 놓지 않고 계속 만져주셨다. 그들은 스승의 제안을 거절하기 위해 먼 곳에서 왔지만, 막상 이곳에 도착해서는 어느 누구도 거절한다는 말을 꺼내지 않았다. 성령님께서 그들의 마음속에, 자신이 계획해놓은 길이 아니라 하나님께서 원하시는 길을 가라고 음성을 들려주고 계심이 확실했다. 그리고 성령님은 스티븐 집사님의 입술을 통하여 제자들의 마음에 쐐기를 박으셨다. 집사님은 제자들을 둘러보며 느헤미야에 대해 이렇게 말씀하셨다.

"느헤미야는 예루살렘 성벽을 재건하기 위해, 페르시아 왕을 모시는 높고 안락한 자리를 버려두고 황폐한 예루살렘에 왔습니다. 그는 손에 가진 것이 없었지만, 하나님의 선하신 손이 그를 도우심으로 성벽을 쌓을 수 있는 자원을 얻었습니다. 산발랏과 도비야 같은 방해 세력이 있었지만, 그는 역경을 딛고 성벽을 재건해 이스라엘 백성의 신앙을 부흥시켰습니다.

지금 우리에게는 느헤미야 같은 사람이 필요합니다. 안락한 자리가 아니라 하나님의 선하신 손 안에 있고 싶지 않은가요? 우리에게는 느헤미야가 성벽을 짓듯이 학교를 지어서 이 땅 아이들에게 복음을 들려줄 사람이 필요합니다. 느헤미야 같은 신앙과 지혜를 가진 사람이 필요합니다!"

이 말을 듣고 량둥후이는 지금까지 살아온 자신의 인생을 돌이켜보고 진정 추구해야 할 것이 무엇인지 다시금 생각하게 되었다며 자기 결심을 선언했다.

"하나님 아버지께서 나에게 주신 내 인생의 마지막 기회일지도 모른다는 생각에, 난 갓 시작한 무역회사를 포기하고 이 거룩한 일에 합류하겠습니다!"

이어서 나머지 제자들 모두 학교를 짓는 일에 합류하겠다고 말했다.

나는 정말 감동스러워서 제자들에게 무슨 말부터 해야 할지를 몰랐다. 안정된 자리를 포기하고 세상눈으로 보기에는 불안정한 이곳을 택한 그들의 앞날을 하나님께서 복 주시기를 마음속으로 간절히 빌 뿐, 감격에 겨워 다른 어떤 말도 할 수 없었다.

나는 비록 우리가 이제 가야 할 길이 잘 포장되어 있는 아스팔트 길이 아니라 울퉁불퉁한 자갈길이라고 하더라도, 우리 모두가 주님께서 굴리시는 대로 가는 굴렁쇠 같은 인생이 되기를 기도했다. 그런 인생은 주님을 믿는 우리 모두가 주님을 사랑하는 대가로 지불해야 마땅한 것이지만, 실제로 그렇게 살기로 결단하는 사람은 많지 않다. 나는 제자들의 마음을 변화시켜주셔서 그런 어려운 결정을 자원하는 마음으로 하게 해주신 하나님께 마음속 깊은데서부터 찬송을 올려드렸다.

그런데 내가 흥분을 가라앉힌 후에 제자들에게 직장을 그만두고 헌신하는 것은 좋지만 그래도 먹고는 살아야 하지 않겠느냐며 월급을 정해보자고 말했을 때, 그들의 말은 나를 다시 한 번 깜짝 놀라게 했다.

"아니, 월급도 줍니까?"

전혀 수입이 없는 줄로 알고도 헌신하려 했던 그들의 순수한 열정에 나는 참으로 감동해서 제자들 모르게 눈물을 훔쳐냈다.

제자 중 둘을 보내시되

2002년 2월, 나는 장위평에게도 연락해 동참 의사를 타진했다. 장위평은 앞에서 소개한, 학교에서 늘 수석을 놓치지 않았다는 청년이다. 대학 시절 교회에서 한 결혼식 때문에 곤란을 겪었던 그는 이제 전임 강사라는 탄탄한 직업을 가지고 대학에서 일하고 있었다.

"예전에 우리가 같이 비전을 나눴던 그 학교가 세워질 건데 어떻게 생각하니? 같이하지 않을래?"

"여기서도 제가 할 일이 많습니다. 못 가겠습니다. 정말 죄송합니다."

그사이 장위평의 마음은 평생을 대학에서 교수로 존경받으며 살아갈 꿈으로 가득 차 있었다. 그는 나에게 자신의 입장을 솔직하게 털어놓았다. 학교에서 곧 아파트도 주기로 했고, 익숙해진 출세의 터전을 빠져나가고 싶지 않다고 했다. 하기야 결혼해서 쭉 셋방살이를 하면서 어렵게 생활해오다가 이제 좀 자리를 잡을까 했는데, 새로운 둥지를 튼다는 것은 쉬운 일이 아니었을 것이다. 단단한 각오를 하지 않는 이상은….

그런데 그 후 한 달 정도 되었을 때 나는 장위평으로부터 뜻밖의 이메일을 받았다.

"며칠 동안 저는 무슨 일에도 골몰할 수가 없었고, 일하고 싶은 마음도 없어졌고, 괜히 짜증을 부리곤 했습니다. 아내는 계속, 갔으면 하는 눈치였습니다. 이곳이 편하고 좋긴 하지만, 평생 교수라야 편한 것 제외하고는 하나님께 별로 큰 도움이 될 것 없잖느냐 하면서 말입니다.

그러다가 하루는 아내와 함께 큐티를 하는데, 다음과 같은 성경말씀을 보았습니다.

[예수께서] 감람원이라는 산의 벳바게와 베다니에

가까이 왔을 때에 '제자 중 둘을 보내시며

이르시되 너희 맞은편 마을로 가라'

그리로 들어가면 아직 아무 사람도 타보지 않은

나귀 새끼의 매여 있는 것을 보리니 풀어 끌고 오너라

_눅 19:29,30

아내와 저는 이 말씀 중에서 '제자 중 둘을 보내시며 이르시되 너희 맞은편 마을로 가라'라는 구절에서 눈을 뗄 수가 없었습니다. 이 말씀은 하나님께서 고민하는 우리에게 주신 말씀이었습니다.

우리는 희망시로 떠나면 좋은 점과 나쁜 점을 적어보자고 합의를 보았습니다. 그날 저녁, 하나하나 적어 내려가던 저는 부끄러움을 감출 수가 없었습니다. 나열해놓은 내용 중 이곳의 좋은 점은 전부 저희의 사적인 욕심을 위한 것들이었습니다. 참 제 자신이 한심하고, 하나님께 죄송했습니다.

이제 저희는 이곳을 떠나기로 했습니다. 혹시 뒷걸음질 칠까 봐 며칠 후에 학교에서 주겠다고 한 집도 물러버렸습니다. 비록 몇 년 후에는 다시 올지도 모르지만 지금은 가야 할 우리에게 걸림돌이 될까봐서요…."

또 자기 십자가를 지고 나를 좇지 않는 자도
내게 합당치 아니하니라
자기 목숨을 얻는 자는 잃을 것이요
나를 위하여 자기 목숨을 잃는 자는 얻으리라 _마 10:38,39

네 보물 있는 그 곳에는 네 마음도 있느니라 _마 6:21

예수께서 이르시되 손에 쟁기를 잡고 뒤를 돌아보는 자는
하나님의 나라에 합당치 아니하니라 하시니라 _눅 9:62

장위평뿐만 아니라, 함께 동역하고 있는 나의 제자들 모두 자기를 하나님께 내어놓은 간증을 가지고 있다. 나는 힘들고 지칠

때면 제자들의 얼굴을 하나하나 떠올리면서 그들의 간증을 회고하곤 한다. 세상 유익을 따르지 않고, 세상 사람들 눈엔 바보같이 철밥통 직업을 헌신짝처럼 버리고 이곳으로 온 용감한 그들의 이야기는 언제나 나에게 위로와 격려가 된다.

두 번 사는 인생도 아닌데

그 후 시간이 흐르면서 한 명씩 두 명씩 나의 제자들이 학교 설립 사역에 동참하기 시작했다. 최근에는 나의 제자 리가흔도 우리 사역에 합류했다.

리가흔은 대학교를 졸업한 후 켄터키(kentucky)에서 유학생활을 하며 미국인 교회에서 열심히 신앙생활을 했다. 그는 자기가 사는 아파트를 가정교회로 내놓고 매주 유학생들을 모아 예배를 드리는 등 수님을 위해 수고를 아끼지 않았다. 그런 그였지만, 우직한 황소 같은 집념으로 어렵게 박사학위를 받고 곧바로 중국으로 오겠다고 했을 때, 솔직히 나는 많이 놀랐다.

그가 미국에서 학위를 받기 바로 직전에, 나는 켄터키의 한인교회에서 열린 집회에 간 적이 있다. 그때 리가흔의 아파트에서 신세를 졌다. 그는 나를 위해 운전기사 역할도 해주었는데, 차 안에서 우리는 이런 대화를 나누었다.

"리가흔, 너 어떻게 중국으로 다시 돌아올 생각을 했니? 난 네가 미국에 남겠다고 해도 좋아."

"솔직히 말씀드리면 유혹 좀 받았죠. 학술 발표회 하고 나면 제 논문을 보고 다른 대학 교수들이 자기한테 와서 포스트닥터(박사 후 연구과정) 하라고 손짓도 하고 그랬어요."

"그래서 뭐라고 했어?"

"미안하지만 난 이미 취직이 되었다고 했죠. 중국에서 나를 지금 기다리고 있다고요."

"짜식, 기특하구나. 부모님이 반대하지 않던?"

"아이고, 말도 마십시오. 중국에 돌아간다니까 미쳤느냐고 하시질 않나, 자식 덕에 좋은 집에서 좀 살아볼까 했는데 다 틀렸다는 둥, 박사 하면 뭐 하냐면서 옆집 자식들은 박사 아니더라도 돈만 많이 벌어오는데 자식 복도 지지리 없다고 하시는 둥…."

"하기야 이해가 안 되시겠지. 월급이 많은 곳으로 가는 것도 아니고, 박사가 중고등학생 가르치러 간다고 하니까 도저히 상상이 안 될 수밖에…."

"하지만 저는 주님께 인생을 걸고 싶습니다. 두 번 사는 인생도 아닌데…."

리가흔의 헌신을 보면서 나는 중국 기독교에 한 획을 그은 쑹상졔[宋尙節]가 떠올랐다. 그는 1920년에 미국으로 유학을 가서 웨슬리안대학교와 오하이오주립대학교에서 화학 분야로 5년 만에 학사, 석사, 박사 학위를 마친 천재적 두뇌의 소유자였다. 그런 그가 복음전도자로 부름을 받고 신학을 공부한다. 공부가 끝난 후 1927년 중국으로 돌아오는 배 갑판 위에서 쑹상졔는 아버지에게 보여주어야 할 박사학위증만 남기고 자신이 미국에서 받은 메달과 성적표를 바다 위에 던져버렸다. 1930년대 그는 생명을 다해 중국교회의 부흥운동을 일으키고 43세라는 젊은 나이에 생을 마감했다. 오늘날 쑹상졔는 왕밍다오와 함께 중국교회에서 크게 존경받는 인물이 되었다.

미국으로 유학 간 많은 중국 유학생들이 어떻게 하면 그곳에서 정착할 수 있을까 고민하며 노력하는데, 리가혼이나 자오리밍은 주님이 주시는 비전을 따라 주님께 인생을 걸었다. 그런 제자들을 두어서 나는 얼마나 행복한지 모른다.

내가 아니라 주님께 인생을 걸 때

예전에 내가 아브라함처럼 내 마음이 묶인 '본토 친척 아비집'을 떠나 중국으로 왔듯이, 많은 제자들이 그들의 익숙한 터전을 버리고 희망시로 건너왔다. 물론 나는 우리에게 익숙한 환경이 꼭 우리가 떠나야 할 땅이라거나, 선교지나 특수한 기독교 학교나 기독교 회사에서 일하는 것만이 주님께 인생을 거는 것이라고 생각하지 않는다. 주님의 부르심이 있는 곳이라면 어디든지 사역지가 될 수 있다. 다만 우리 모두는 '나 자신을 높이려는 마음'으로 부터 떠나야 한다고 생각한다.

나는 한국에 있을 때 경쟁에서 항상 남들보다 앞서 나가고 싶은 욕망을 따라 살았다. 나 자신을 높이려고 힘을 다했던 것이다. 그러나 돌이켜보면 예수님을 주인(主人)으로 모시지 않은 내 육(肉)의 힘은 참으로 보잘것없었고, 거기에 의지하려 했던 나의 모습은 추함 그 자체였다.

하지만 요즘 나는 내 영(靈)의 힘이 내 육의 힘보다 훨씬 강하다는 것을 느낀다. 보이지도 않고 만질 수도 없는 나의 영, 그것은 분명 다윗이 시편 57편 8절에서 고백했듯이 '나의 영광'이다.

'내 영광'아 깰지어다 비파야, 수금아, 깰지어다
내가 새벽을 깨우리로다 _시 57:8

나는 처음 이 말씀을 묵상하면서 여기서 '내 영광'이 무엇인지 궁금했다. 그래서 여러 번역본을 보았는데, 그 부분을 '내 영혼'으로 번역한 경우들도 있었다. 영어성경도 NIV는 'my soul'(내 영혼)로, KJV는 'my glory'(내 영광)로 번역했다. 그 부분이 직접적으로 가리키는 것은 '내 영혼'인데, 다윗이 그의 영혼을 '내 영광'으로 표현한 것이라고 생각된다.

그런데 보통 성경에서는 나를 낮추고 겸손하라고 하는데, 왜 다윗은 자신의 영혼을 영광이라고 했을까? 바로 그 앞의 말씀을 보면 그 수수께끼가 풀린다.

하나님이여 내 마음이 확정되었고 내 마음이 확정되었사오니
내가 노래하고 내가 찬송하리이다 _시 57:7

그렇다. 내 영혼이 내 영광인 이유, 내가 정말 특별하고 가치 있고 귀중한 이유는 하나님께로 내 마음이 확정되었기 때문이다. 내 영혼이 내 영광인 이유는 나 때문이 아니라 주님 때문이다. 그래서 다윗이 그의 영혼을 영광으로 부른 것이다.

주님으로 인하여 나의 영은 나의 영광이 되었다. 주님의 힘이 세상의 그 어떤 힘보다 강하기에, 주님께 인생을 건 내 영의 힘 역시 진정으로 강하다. 주님은 우리에게 그 영의 힘을 잠재우지 말고 쓰라고 요구하신다. 그리하면 하나님나라를 위해 위대한 일을 할 수 있다고 말씀하신다.

사위의 배신

나는 참 귀한 제자들을 많이 두었지만 나의 모든 제자들이 철밥통 직업을 버리고 주님께 인생을 건 것은 아니었다. 일찍이 나

는 미국에서 학교 부지를 사기 위해 열심히 선교 동원을 할 때, 제자로부터 배신당한 아픈 기억이 있다.

내 제자 중에 유난히 내 아내를 따르던 학생이 한 명 있었다. 아내는 그 학생이 나중에 결혼하면 그 아내를 자기 딸로 삼겠다며, 먼저 그를 '사위'로 부르며 자상하게 챙겨주었다.

우리가 단미션 사역을 위해 미국으로 건너간 뒤, 이 학생도 미국으로 유학 오기를 원했다. 그는 우리에게 열심히 공부한 다음에 중국으로 돌아가서 학교 짓는 일을 동역하겠다며 자기가 유학 갈 수 있도록 도와달라고 부탁했다. 아내는 그를 무척 아꼈으므로 도와주기를 원했고, 나도 우리와 비전을 함께하는 그를 가능한 한 도와주고 싶었다.

그래서 나는 그가 미국에 있는 유수 대학교에서 장학금을 받고 유학할 수 있도록 학교 관계자들을 찾아다니며 노력한 끝에 그 일을 성사시켰다. 그리고 그가 미국으로 온 후에는 내가 잘 아는 분을 연결시켜주어서 승용차와 기숙사비 등을 후원받도록 해주었다.

그런데 얼마 뒤 그가 나에게 재정 보증서를 한 장 써달라고 부탁했다. 대학교에서 필요하다고 하기에 나는 아무 의심 없이 써주었다. 그런데 나중에 알고 보니, 그는 중국에 있는 그의 여자 친구를 데려오기 위해서 그 서류가 필요했던 것이었다. 그는 그 서류를 들고 중국에 가서 여자 친구와 결혼한 후, 함께 미국에 들어올 계획이었다. 그때 나는 화도 나고 섭섭한 마음도 들었다. 솔직히 말했어도 도와줄 수 있었는데, 왜 거짓말을 했는지 이해할 수 없었다. 하지만 사랑하는 사람을 곁에 두고 싶었을 제자의 마음을 헤아려서 이해하기로 했다. 심지어 내 아내는 그들이 미국에 와서 어디서 지내야 할지를 고민하다가 우리 집 방 하나를 그들의 신방으로 꾸며놓고 그들이 돌아오기만을 기다렸다.

그런데 그 사위가 우리를 배신했다. 그는 결혼한 아내를 데리고 미국에 들어온 후에 우리와 연락을 끊었다. 더 이상 대학교도 다니지 않았다. 알고 보니 그는 처음부터 미국에 정착하려고 계획적으로 우리에게 접근한 것이었다. 그 때문에 나는 내가 그를 연결시켜준 이곳저곳에서 신용이 떨어졌고 미안한 마음에 고개를 들 수 없었다.

무엇보다 그를 열과 성을 다해 돌보았던 내 아내의 마음은 산산조각이 나고 말았다. 아내는 그에게 쏟아 부었던 사랑이 물거품이 되었다는 사실을 참을 수 없어 했고, 그를 믿은 자기 자신까지 용서하지 못하겠다며 이렇게 말했다.

"나는 이제 다른 사람을 사랑할 자신이 없어졌어요. 그 아이처럼 누가 또 우리에게 거짓으로 접근할지도 모른다는 두려움과 의심 때문에 다른 사람에게 마음을 열 수가 없어요."

아내는 사랑에 대한 상처가 너무 컸다. 그때 아내는 두 달 동안이나 제대로 잠을 이루지 못했다. 나 역시 괴로운 심정이었다.

낙심의 늪에서 헤매고 있던 어느 날, 우리는 성경에서 위로를 발견했다. 우리는 그전에 가룟 유다만 예수님을 배신한 줄 알았는데, 예수님은 가룟 유다 이전에 이미 첫 사람 아담과 하와로부터 배신당하셨다. 예수님이 성부 하나님과 함께 창조 사역을 감당하셨으므로(요 1:1-3), 하나님께서 배신당하실 때 예수님도 함께 배신당하신 것이었다.

하나님이 가라사대 우리의 형상을 따라 우리의 모양대로
우리가 사람을 만들고 _창 1:26

우리 주님은 배신당하기 위해서 이 땅에 내려오셨다. 그리고 십자가에서 기꺼이 죽으셨다. 우리는 그 사실을 묵상하면서 이렇게 결심했다. 비록 배신이 우리에게 열 번, 아니 천 번이 찾아온다고 해도 우리는 절대로 사랑을 포기하지 않겠노라고. 그저 주고, 또 주고, 또 주고 하겠노라고.

그 후로 우리가 사랑했던 그 사위의 소식을 듣지 못했다. 나는 그가 잘 살고 있기를 바란다. 그리고 사랑이 많으신 하나님께서 그를 회개시키셔서 지금쯤 그가 주님께로 돌아왔을지도 모른다고 생각한다. 비록 나와 같이 동역하지는 않더라도, 그가 주님께 돌아와서 어느 자리에서든 쓰임 받고 있다면 나는 그것으로 만족한다.

내일을 쥐고 있는 분

돌이켜보면, 우리를 배신했던 그 사위는 그전에 계속 두려움에 쫓겼던 것 같다. 나는 그가 우리를 속이고 목적을 달성하기까지, 자신의 술수가 들킬까봐 얼마나 가슴 졸이며 힘들었을까 생각하면 마음이 아프다. 그는 아마 중국에 있을 때부터 자신의 앞날에 대한 걱정이 많았을 것이다. 그 걱정을 피해 도망치느라 주님을 위한 사명이나 스승에 대한 진심은 지킬 여유가 없었을 것이다.

세상 사람들을 보면 왜 그리 걱정이 많은지 모르겠다. 그들은 마치 '내일'이 그들을 움켜쥐고 있다고 착각하는 것 같다. 물론 나는 우리가 불안정하고 불확실한 시대에 살기 때문에 충분히 그럴 수 있다고 생각한다. 나 또한 그럴 때가 있었다.

그러나 주님께 인생을 건 후, 나는 앞날에 대한 걱정이 줄어들었다. 그리고 하루를 마무리할 때마다 '내일이라는 시간은 주님의 손안에 있다!'는 것을 확실하게 깨닫곤 한다. 그 때문에 주님도 내일 일을 걱정하지 말라고 말씀하셨을 것이다.

그러므로 내일 일을 위하여 염려하지 말라
내일 일은 내일 염려할 것이요
한 날 괴로움은 그날에 족하니라 _마 6:34

주님께서 우리의 내일을 쥐고 계시기 때문에, 우리는 다른 것은 걱정할 필요 없이 주님께 우리의 전부를 걸면 된다. 그리고 하루하루 주님께서 우리의 삶을 어떻게 이끌어가실지 기대감을 가지고 내일을 맞이하면 된다.

결코 빼앗기지 않는 하늘의 보물

나는 지금 열방학교에서 열심히 헌신하고 있는 나의 제자들을 볼 때면, 그들이 하늘에 보물을 쌓고 있다는 생각에 무척 뿌듯하다. 그들은 땅에 있는 보물을 버리고 하늘의 보물을 찾아 이곳으로 왔다. 그들은 땅에 둔 자신의 보물들이 분명 오래가지 않을 것임을 깨달았기에 영원한 하늘에 보물을 쌓기로 결단했다.

예수께서는 땅의 보물들을 사랑하기 쉬운 우리에게 친히 이렇게 말씀하셨다.

너희를 위하여 보물을 땅에 쌓아 두지 말라
거기는 좀과 동록이 해하며

도적이 구멍을 뚫고 도적질하느니라
오직 너희를 위하여 보물을 하늘에 쌓아 두라
거기는 좀이나 동록이 해하지 못하며
도적이 구멍을 뚫지도 못하고 도적질도 못하느니라 _마 6:19,20

땅의 보물들은 우리가 살아 있는 동안 우리를 떠날 수 있다. 혹시 그렇지 않더라도, 우리는 죽음과 함께 땅의 보물들을 떠나게 된다. 다시 말해 '땅의 보물들이 나를 떠나거나, 아니면 내가 땅의 보물들을 떠나거나' 둘 중의 하나인 것이다.

그러나 우리는 하늘의 보물과는 영원히 이별하지 않는다. 하늘의 진귀한 보물 중에서 가장 귀한 것은, 다름 아닌 주님 자체이시다. 우리가 주님께 인생을 걸 때, 우리는 다른 무엇보다도 주님이라는 보물을 소유하게 된다.

chapter 08

하나님께서 하나님의 사람을 붙여주신다

나는 믿음으로 요단강을 건너 학교 부지를 샀지만, 건물 공사를 착수하기까지 풀어야 할 문제가 한둘이 아니었다. 우선 학교가 들어설 땅이 광활한 옥수수 밭 한가운데니, 주변에 도로도 전혀 닦이지 않았고 전기도 끌어올 수 없었다. 게다가 설령 어떻게 공사를 진행시킨다고 해도 믿고 맡길 건축 감독을 구하는 문제가 하늘의 별 따기였다.

'이제 어떻게 해야 하나?'

그때 나는 여호수아와 이스라엘 백성이 요단강을 건넌 다음에 한 일이 갑자기 떠올랐다. 그들은 요단강을 건넌 후 여리고를 점령했다. 그러나 여호수아서를 자세히 보면, 그들이 여리고를 점령하기 전에 먼저 길갈에 진을 치고 유월절을 지키는 장면이 나온다(수

4:19 - 5:12). 나는 그 장면을 계속 곱씹었다.

'여리고로 가기 전에 먼저 길갈에 진을 치고 유월절을 지켰다고? 그러면 지금 우리가 해야 할 일은 뭘까? 아! 그거야, 그거! 우리도 기도하는 마음으로 기공(起工) 예배를 먼저 드리는 거야.'

이렇게 하여 2002년 5월 1일에 기공 예배를 드리게 됐다. 그날 우리는 미국에서 오신 몇몇 후원자들을 모시고 예배를 드렸다. 끝도 없는 허허벌판에 저 멀리 뒤편에는 소와 양들이 한가롭게 떼를 지어 있었고, 우리 일행 20여 명은 한쪽에 모여서 목소리를 높여가며 찬송을 불렀다. 그때 반경 10리 이내에 사람이라고는 우리밖에 없었다. 기공 예배 후에는 본격적으로 공사가 시작되어야 하는데, 현실적으로는 아무 대책이 없었다.

그때 나의 영적 아버지로서 미국에서부터 오신 한바울 목사님이 이사야 43장 19-21절 말씀을 하나님의 말씀으로 우리에게 주셨다.

보라 내가 새 일을 행하리니 이제 나타낼 것이라
너희가 그것을 알지 못하겠느냐
정녕히 내가 광야에 길과 사막에 강을 내리니
장차 들짐승 곧 시랑(승냥이)과 및 타조도 나를 존경할 것은
내가 광야에 물들을, 사막에 강들을 내어

내 백성, 나의 택한 자로 마시게 할 것임이라

이 백성은 내가 나를 위하여 지었나니

나의 찬송을 부르게 하려 함이니라 _사 43:19-21

참 이상했다. 비록 지금 우리에게 물이 없고, 도로도 없고, 전기도 없고, 건축 감독도, 건축 자금도 없지만, 이 모든 문제를 하나님께서 다 처리해주실 것이고 이미 그것이 드러나 있다고 말씀하시는 것이 아닌가. 그뿐만 아니라 하나님께서는 왜 그것을 감지하지 못하느냐고 묻고 계셨다. 하지만 그때 우리는 후원자들에게 학교 청사진을 보여주고, 이대로 이루어지도록 기도해달라고 부탁하는 것 외에는 할 수 있는 일이 하나도 없었다.

하나님이 보내주신 불도저

어떻게 건축 준비를 시작하긴 했다. 우선 건물을 지을 벽돌을 차로 나르기 시작했는데, 도로가 없으니 아주 난감했다. 우리 학교 부지로 갈 수 있는 유일한 방법이 한 농촌 마을을 지나 밭을 거쳐서 가는 것이었다. 밭 위로 차가 한 대 지나가면 그 바퀴 자국이 자동으로 길이 되는 것이었다. 만일 비라도 오면 땅이 굳은 다음에나 새로 길을 내야 했다.

때로는 농촌에서 마을 사람들이 담합해서 길을 막고 서 있다가 통행료를 내지 않으면 차를 보내주지 않을 때도 있었다. 그래서 한밤중에 마을 사람들이 잠자는 틈을 이용해 잽싸게 벽돌을 운반하기도 했다.

그렇게 어렵게 건축 준비를 해가고 있는데, 5월이 지나 6월이 다가오면서 우리 학교의 정문 자리 앞으로 불도저와 포크레인이 어슬렁거리며 오더니만 뭔가 작업을 시작했다. 우리는 도대체 무슨 일이 벌어지고 있는지 알 수 없었다. 그러나 며칠이 더 지나면서 확연히 알 수 있게 된 것은, 이유는 모르지만 개발구청에서 불도저 등을 보내서 도로를 닦고 있다는 사실이었다. 나는 너무 신기해서 이렇게 외쳐댔다.

"우아! 우리가 열심히 기도했더니 하나님께서 정부 관리들을 감동시키셨나 보다. 그래서 관리들이 우리를 도와줘야겠다고 마음먹은 게 아닐까?"

우리가 관공서에 가서 사정을 한 것도 아니었고, 높은 사람을 찾아가서 압력을 넣게 한 것도 아니었는데 개발구청이 알아서 공사를 해주다니…. 그뿐만이 아니었다. 개발구청에서 보낸 사람들이 도로를 만들면서 길옆으로 전봇대들을 세우고 전기 가설 공사까지 하는 것이 아닌가. 우리는 정말 기뻤다. 이제 우리는 전봇대에서 선만 따다가 우리 공사장으로 전기를 끌어오기만 하면 되는 것이었다.

너희가 그것을 알지 못하겠느냐

나는 아무리 생각해봐도 뭔가 우리가 모르는 일이 진행되고 있는 것 같아서 량동휘에게 전후 사정을 알아보라고 했다. 그가 개발구청에 다녀와서 하는 말이 놀라웠다.

"최 교수님, 아 글쎄, 이 주변 땅이 다 팔렸답니다."

"야, 밑도 끝도 없이 그게 무슨 말이냐? 자세히 좀 말해봐."

"네, 그게 말이죠, 우리 학교를 중심으로 해서 사방으로 대학들이 이사 온답니다. 한두 개도 아니고 스무 개씩이나요. 몇 년 이내에 이 지역에 대학생 수만 20만 명이 넘을 거라고 하네요. 우리 학교 주변이 교육지역으로 확정되었답니다."

나는 개발구청 관리들로부터 아직 이곳에 오려는 단체가 하나도 없어서 언제 개발이 완료될지 모르니 다른 곳을 사라는 말을 들은 게 바로 얼마 전 일인데, 땅이 다 팔렸고 대학이 스무 개씩이나 이사 온다는 말이 도무지 믿기지 않았다.

그래서 량동휘를 통해 좀 더 자세히 알아보니, 우리가 땅을 사고 난 다음 다섯 달 사이에 대학 관계자들이 개발구청을 찾아서 마치 줄을 서서 물을 떠가듯 우리 학교 부지의 주변 땅을 구입하기 시작했다는 것이다. 결국 이제는 땅이 다 팔려서 더 이상 땅을 사고 싶어도 불가능하다고 했다. 그래서 개발구청이 본격적으로 도로와 전기 등의 기반 공사를 추진한 것이었다.

나는 기공 예배 때 한바울 목사님을 통해서 들은 하나님의 메시지가 떠올랐다. 정말로 하나님의 새 일이 이미 드러나고 있었는데 내가 모르고 있었던 것이었다.

그리고 마음 한편에서는, 이럴 줄 알았으면 땅을 더 사두었어야 하는 건데 하는 인간적인 아쉬움이 짙게 배어나왔다. 왜냐하면 땅값도 무척 올랐을 뿐만 아니라 앞으로 열방학교가 발전하는 추세에 따라 땅이 더 필요할 것이기 때문이었다. 헐값으로 산 우리 학교 부지 2만 제곱미터는 현재로서는 충분한 넓이이지만, 몇십 년이 흐른 후에 사람들은 말할 것이다. 아무도 오려고 하지 않았을 때 왜 그렇게 적게 샀느냐고.

그런 생각으로 나는 "네 입을 넓게 열라 내가 채우리라"(시 81:10)라고 말씀하신 하나님 앞에서 내 믿음의 입이 너무 적었음을 깨닫고 회개하였다.

하나님은 정말 우리의 생각보다 훨씬 높고 크신 분이시다. 그 높고 크신 분을 절대적으로 신뢰함으로 우리 모든 그리스도인이 벌릴 수 있는 한 가장 넓게 믿음의 입을 벌리고 매일 넘치도록 채우시는 하나님을 체험하며 살아가길 바란다.

여호와의 말씀에 내 생각은 너희 생각과 다르며
내 길은 너희 길과 달라서

하늘이 땅보다 높음같이 내 길은 너희 길보다 높으며

내 생각은 너희 생각보다 높으니라 _사 55:8,9

숨어 있던 건축 감독

우리 학교 부지 주변으로 대학들이 몰려오면서 많은 문제들이 삽시간에 해결되었다. 더 이상 농촌 마을 사람들에게 통행료를 내지 않아도 되었고, 전기 문제로 골치 아파하지 않아도 되었다.

그러나 문제가 다 사라진 것은 아니었다. 건축 회사와 감리 회사를 선정하고 그들과 계약하기 위해서는 이 방면의 전문가가 있어야 했다. 건축 감독이 필요했지만 어쩔 도리가 없어 시간만 보내고 있는데, 하루는 얼마 전까지 같이 땅을 보러 다녔던 류봉뢰가 나를 찾아왔다.

"최 교수님, 제가 아는 분 중에 30년 이상 건축 감독을 하신 분이 있습니다."

"그 분이 누구시지? 그런 분이 계셨다면 진작 얘기를 했어야지, 왜 이제야 얘기하니?"

"사실은 제 장인어른이십니다. 작년에 건축 회사를 은퇴하셨는데, 제가 장인께 우리 사정을 말씀드렸더니, 인생의 마지막을 정말 뜻있는 사업을 위해 보내고 싶다고 하십니다."

"당장 모시고 와. 어서!"

바로 옆에 최고의 전문가가 숨어 있었던 것이다. 우리는 이분을 츄이 기술사라고 불렀는데, 그 분은 혼자만 오신 것이 아니라 한 가지 열쇠를 가지고 오셨다. 놀랍게도 츄이 기술사의 고향 친구 중에 교육청 간부를 아시는 분이 있어서, 후에 우리가 학교 설립 허가를 받는 데 그 분으로부터 큰 도움을 받게 되었다. 학교 부지를 살 때도 누구로부터 도움을 받아야 하나 깜깜했는데 하나님께서 재중교포 한 분을 만나게 해주셨듯이, 학교 설립 허가를 받을 때도 돕는 손길을 보내주신 것이었다.

마치 스포츠 팀 감독이 선수들을 대기조에서 기다리게 하다가 차례가 되면 경기장으로 내보내듯이, 하나님께서는 우리가 필요로 하는 사람을 적합한 시기에 딱딱 맞추어 릴레이 선수로 보내주셨다. 마치 깜짝 선물처럼 말이다. 그렇게 주님은 언제나 내게 소름 끼칠 정도의 감동으로 주님 자신의 존재를 각인시키셨다. "나 여기 있노라"라고.

서로를 지극히 사랑하는 두 형제

열방학교는 학생들 전원이 기숙사 생활을 하게 되어 있다. 그러다 보니 학교 식당에서 학생들을 위해 하루 세끼 식사를 꼬박 제공해야 한다. 학교 건축이 진행되면서 나는 앞으로 학생들이 천여 명 모일 것을 바라보고 있었는데, 그 많은 학교 식구들을 위해서 아주 훌륭한 요리사가 필요했다.

'요리사도 신앙 있는 사람이면 좋을 텐데. 아무나 뽑았다가는, 우리 학교가 기독교 학교인 걸 알게 되면 음식에 약이라도 탈지 모르잖아. 아! 어쩌나. 하나님! 믿는 요리사를 보내주세요.'

어느 날 나는 이런 기도를 드리다가 닝만의 형이 떠올랐다. 닝만은 우리 학교 교사로 헌신한 내 제자인데, 그의 형 톈샹붕이 심양의 어느 호텔에서 주방장으로 일하고 있다는 말을 들은 것이 기억났던 것이다.

나는 톈샹붕에 대해서는 그전부터 닝만을 통해 이야기를 많이 들어왔다. 그리고 학생 시절 닝만이 간염에 걸려 우리 집에서 요양할 때 그의 형이 찾아와서 서로 안면을 튼 후, 셋이서 여러 번 만나기도 했다.

이 두 형제는 고아나 다름없이, 오랫동안 둘이서만 의지하며 살아왔다. 형은 깡패 노릇을 해서 돈을 벌어 동생의 학비를 마련했고, 동생은 대학생이 되었다. 대학교에서 닝만은 우리 가족을 만나 예수님을 믿게 되자 곧바로 자기 형을 찾아갔다. 당시 형은 깡패 세계에서 살고 있었다. 닝만은 형에게 예수님을 전하고, 그 폭력배 소굴에서 나오도록 종용했다. 예수님을 만나기 전에는 형이 하는 일이 나쁘다는 생각을 하지 못했지만, 예수님을 알고 난 이후에는 자기 형을 절대로 그곳에 머물게 해서는 안 된다는 것을 깨닫게 된 것이었다.

사랑하는 동생의 간절한 부탁에 톈샹붕은 깡패 생활을 청산하기로 결심했다. 그는 자신이 속했던 조직을 나올 때 죽도록 얻어터지면서도 오직 동생만을 생각하며 자기 주먹이 나오지 않도록 참았다고 한다. 결국 너무 심하게 두들겨 맞아 온몸이 상처투성이가 되어서 건강을 회복하는 데 오랜 시간이 걸렸다.

톈샹붕은 어느 정도 몸을 추스를 수 있게 되자 새로운 직장을 찾아 나섰고, 호텔 식당에서 청소부터 시작하게 되었다. 그러다가 주방 일을 돕는 도우미로 승진했는데, 그 일도 쉽지는 않았다. 종일 양파를 써는 일이었기 때문이다. 그는 6개월 동안 양파를 썰면서 눈물을 줄줄 흘리면서도 이를 악물고 그 호텔에 붙어 있었다고 한다. 오로지 하나밖에 없는 동생의 학비를 마련하겠다는 일념으로 말이다.

톈샹붕은 밤만 되면 불면증에 시달렸다고 한다. 눈만 감으면 깡패들과의 싸움이 자꾸 떠올라서 잠을 설칠 때가 한두 번이 아니었다는 것이다. 하지만 동생만은 자기 같은 인생을 살게 해서는 안 된다는 사명감으로 참고 또 참으면서, 식당 도우미를 넘어 드디어 한 가지씩 요리를 배워나갔다. 그리고 호텔 식당에 청소부로 들어간 지 3년이 지나서 그는 급기야 그 큰 호텔의 두 번째 주방장 자리까지 오르게 되었다.

의리파 주방장의 헌신

나는 톈샹붕에게 우리 학교 식당의 책임 요리사로 일해달라고 부탁하기 위해 닝만과 함께 심양의 호텔로 찾아갔다. 하지만 그를 만나 말을 꺼내면서도 그가 과연 수락할지 자신이 없었다.

'큰 호텔에서 두 번째로 높은 주방장이면 월급도 많이 받을 테고, 그 밑에서 일하는 요리사들이 하늘같이 우러러볼 텐데, 월급도 적은 우리 학교로 와줄까?'

그런데 그가 뒤도 돌아보지 않고 단번에 "알겠습니다. 가겠습니다" 하는 것이 아닌가. 그때까지만 해도 그는 신앙이 없었지만, 자기 동생을 잘 보살펴준 나에 대한 고마운 마음을 갚고 싶었던 것이었다.

톈샹붕이 우리 학교로 와서 예수님을 믿게 된 후 사람들 앞에서 간증을 한 적이 있는데, 그의 고백은 듣는 이 모두의 마음을 울렸다.

"과거에 저는 사회에 불만이 쌓여 있었고, 다른 사람을 적대했으며, 미래에 대한 소망이 없었습니다. 저에게는 이 세상에 사는 것이 의미가 없었습니다. 그래서 가는 곳마다 트집을 잡고, 시비를 걸고, 싸움을 하는 것으로 저의 불만을 사회에 토로했고, 치고 박고 하는 와중에 저의 삶을 끝내고 싶었습니다.

그러나 지금은 변했습니다. 저는 저의 주님이신 예수 그리스도를 믿습니다. 하나님이 저로 하여금 목표를 보게 하셨고, 왜 이 세상에 살아야 하는가를 알게 하셨습니다.

열방학교를 통해 하나님의 일에 초청받은 것은 제 인생 최고의 기쁨입니다. 저는 쌀을 사거나 배추를 살 때도 우리 식구들을 생각하며 최고의 품질과 최저의 가격을 늘 찾아 나섭니다. 우리 식당은 인공 조미료를 절대 쓰지 않습니다. 교직원과 학생들의 건강이 우리의 첫째 목표이기 때문입니다. 제가 하나님을 가장 잘 섬길 수 있는 자리를 허락하신 주님께 정말 감사합니다."

하나님께 묻지 않았을 때

우리가 하나님의 일을 할 때, 하나님께서는 그분의 일에 필요한 사람을 우리에게 붙여주시고 하늘 창고를 열어 자원을 보내주신다. 열방학교 건축을 준비한 때부터 지금까지 하나님은 순하 돕는 사람들을 내게 붙여주셨다.

그러나 학교에 헌신하겠다고 나선 사람들 모두 하나님의 사람은 아니었다. 나는 기도로 하나님의 도우심을 구하지 않고 그분의 뜻을 묻지 않았을 때, 하나님께서 보내시지 않은 사람을 곁에 두고 낭패를 본 적이 있다.

2003년 여름이었다. 우리는 한 달 뒤면 개교해야 하는 시점에 있었다. 원어민 영어 교사를 구해야 하는데, 시간이 너무 촉박했다. 그때까지 두 명을 구했는데, 나는 한 명을 더 구하면 좋겠다고 생각했다.

어느 날 제프리라는 사람으로부터 연락이 왔다. 그는 하나님께 헌신한 사람이라며 영어 교사로 일하고 싶다고 말했다. 당시 나는 미국의 단미션 선교회 사무실에 있었는데, 그는 그곳까지 직접 나를 만나러 왔다. 당장 한 명이라도 교사를 더 충원하고 싶었던 나는 그의 열심을 보고 단번에 그를 교사로 채용했다. 하나님께 뜻을 묻지도 않고, 시간을 두고 그를 지켜보지도 않은 채, 그냥 별문제 없을 거라고 믿어버렸던 것이다.

제프리가 처음 학교에 왔을 때, 그는 매우 거룩한 말을 했고 기도도 열심히 하는 듯 보였다. 얼마 후 그는 시청각 자료를 활용하여 영어를 가르쳐야 한다며 대형 스크린이 필요하다고 학교에 제안했다. 그래서 우리는 대형 스크린이 완비된 시청각 자료실까지 만들어 그가 학생들을 잘 가르칠 수 있도록 최대한 배려를 해주었다.

그렇게 3개월쯤 지난 어느 주일 아침, 교직원들끼리 모여서 드리는 예배에 그가 나오지 않았다. 나는 그가 어디가 많이 아픈가 걱정이 되었지만, 다른 교직원들은 눈치가 이상했다.

나는 예배를 마친 뒤에 그의 기숙사 방으로 찾아갔다. 노크를 하고 기다렸는데, 한참 후에야 그가 문을 열었다. 그는 이제 막 잠

에서 깬 듯 부스스한 모습으로 나를 어정쩡하게 맞이했다. 내가
물었다.

"제프리 선생, 어디 아픈 거예요?"

"아, 아니요. 어제 늦게 자서…."

나는 뭐 하느라 늦게 잤는지 의아했지만, 일단 내색을 하지 않
고 그 자리를 나왔다. 그리고 그제야 제프리가 어떻게 생활해왔는
지를 자세히 알아보았다. 한마디로 그는 디브이디(DVD) 영화 중
독자였다. 우리 학교에 와서도 매일 새벽 두세 시까지 잠을 자지
않고 영화를 보고, 학교에 늦게 나오고, 학생들을 가르치는 일을
매우 소홀히 하고 있었다. 그리고 정말 괘씸하게도 우리가 학생들
을 위해 비싼 돈을 들여 만든 시청각 자료실을 그는 밤마다 자신
의 전용 극장으로 삼고 있었다.

학생들을 위해 건심을 다해도 모자랄 판에 교사가 세상 것에
중독되어 있다니, 나는 기가 막혔다. 게다가 그는 교육 선진국인
미국에서 왔다며 이곳 현지인 교사들을 무시하고 항상 가르치려
들었다고 한다. 여태까지 다른 교사들이 내게 말을 하지 않아서
나만 모르고 있었던 것이었다.

결국 나는 그를 돌려보내기로 했다. 사람들이 우리 학교에서
교사로 봉사하면서 믿음과 성품이 더 좋아질 수는 있지만, 기본적
으로 이곳은 치유 센터가 아니라 사역 센터이다. 게다가 학생들에

게까지 나쁜 영향이 퍼질 수 있기 때문에 그의 잘못을 언제까지나 용납할 수는 없었다. 그는 그렇게 전체 교사들에게 매우 큰 상처를 입히고 미국으로 떠났다.

그때 나는 주님께 묻지 않고 사람을 받아들이는 것의 파급효과가 얼마나 큰지 비로소 알게 되었다. 단지 원어민 영어 교사가 많으면 학교 홍보나 학생들 교육에 좋을 것이라는 세상적인 나의 욕심이 그런 일을 만들었던 것이다.

> 너희는 이 세대를 본받지 말고
> 오직 마음을 새롭게 함으로 변화를 받아
> 하나님의 선하시고 기뻐하시고 온전하신 뜻이
> 무엇인지 분별하도록 하라 _롬 12:2

chapter 09

정직으로 승부하여
세상을 능히 이긴다

나는 성경의 인물들 중에서 다윗을 참 좋아한다. 사무엘상
17장에서 우리는 사울과 다윗을 만날 수 있다. 그 둘은 매우 전형
적인 인물이다. 이 책 앞부분에서 쫓기는 사람과 쫓는 사람에 대
해 이야기했는데, 사울은 쫓기는 사람의 전형이고 다윗은 쫓는 사
람의 전형이다.

사울 앞에는 거인 골리앗이라는 넘어설 수 없을 것 같은 장벽
이 놓여 있었다. 파괴하기가 불가능해 보이는 그 현실의 장벽 앞
에서 사울은 무너져갔다. 그는 두려움에 쫓기고 있었다.

그 블레셋 사람(골리앗)이 또 가로되
내가 오늘날 이스라엘의 군대를 모욕하였으니

사람을 보내어 나로 더불어 싸우게 하라 한지라
사울과 온 이스라엘이 블레셋 사람의 이 말을 듣고
놀라 크게 두려워하니라 _삼상 17:10,11

사울은 골리앗이 하나님의 군대를 모욕하는 말을 들으면서도
왕좌를 박차고 나와서 적을 물리치지 못했다. 대신 왕좌에 엉덩이
를 붙이고 앉아서 이해타산을 해보았다. 그는 골리앗을 죽이는 사
람에게 많은 재물과 자신의 딸을 주겠다고 조건을 걸고, 자신은
그 싸움에서 쏙 빠져나왔다. 사울은 하나님께 자기 인생을 걸지
못했다.

좇는 사람은 단순하다

반면 다윗은 아주 단순했다. 그는 골리앗이 "사시는 하나님의
군대"(삼상 17:26)를 모욕하는 말을 듣자마자 그것은 곧 하나님을
모욕한 것이라며 골리앗과 싸우겠다고 결심했다. 그는 돌과 물매
를 가지고 골리앗에게 나가 외친다.

"너는 칼과 창과 단창으로 내게 오지만, 나는 만군의 여호와
의 이름으로 네게 간다!"

우리가 하나님께서 원하시는 어떤 일을 하고자 할 때 우리 마
음속에는 두려움이라는 단골손님이 찾아온다. 그러면 우리 마음

은 마치 골리앗과 대면한 사울과 같은 마음이 된다. 골리앗은 내 눈앞에 놓인 어려운 일 그 자체가 아니라, 내 마음속의 두려움이다. 그 골리앗을 이기기 위해 필요한 것은 바로 다윗과 같은 단순성이다.

우리가 믿음으로 나아가지 못하는 이유는 우리의 머릿속이 여러 가지 생각으로 복잡하기 때문이다. '하나님께 헌신한다고 하면 부모님이나 아내가 뭐라고 할까? 돈은 벌 수 있을까? 나의 노후는 어떻게 될까?' 하는 고민이 믿음을 가로막는 것이다. 그러나 복잡하다는 건 곧 능력이 없다는 것이다. 그래서 결국 승리하지 못한다는 말이다.

나는 믿음의 생리(生理)가 단순성이라고 생각한다. 머릿속의 여러 복잡한 생각들을 가지치기하고, 하나님께 인생을 거는 오직 한 길만을 선택해 그 길로 곧장 사는 것이 믿음인 것이다.

다윗은 하나님께 자기 목숨과 인생 전부를 걸었다. 그는 아주 단순하게 물맷돌을 들고 나갔다. 그리고 하나님께서 함께하실 거라는 확신으로 그 물맷돌을 세차게 던졌다. 물맷돌은 골리앗의 이마에 정확하게 박혔고, 결국 다윗은 골리앗을 죽이고 승리했다.

나는 중국에 학교를 세우면서 영적 전쟁터에 들고 나갈 물맷돌로 '정직'을 선택했다. 단순하게 정직이라는 물맷돌 하나 들고 주님께 전부를 걸었을 때, 엄청난 역사가 일어났다.

규칙 아닌 규칙

학교 건축을 시작할 무렵의 일이다. 건축 허가를 받으러 관공서에 다녀온 량동휘가 분을 이기지 못하고 숨소리를 거칠게 씩씩거렸다.

"교수님, 더러워서 못해먹겠습니다."

"왜 그렇게 단단히 화가 난 건데?"

"글쎄, 저놈들하고는 상종을 못하겠습니다."

이야기인즉, 우리 서류에 아무런 하자가 없는데도 관공서 관리들이 도장을 안 찍어준다는 것이었다. 건축 허가를 받으려면 설계 도면, 지질 탐사, 입찰 확인 등등 서른세 개의 항목에 담당자의 도장을 받아야 하는데, 시작부터 이러니 큰일이었다.

"미치고 팔짝 뛸 노릇입니다. 어느 부서의 도장을 받아야 하는지 물어서 가면, 가는 부서마다 순순히 도장을 찍어주는 부서가 없습니다. 처음에는 우리 서류가 부족한 부분이 있어서 그런가 보다 했는데 그게 아니었습니다. 몇 번 다녀보니까 그 안에는 규칙 아닌 규칙이 있었습니다. 바로 뒷돈을 줘야 하는 거죠."

"이거 큰일 났구나. 무슨 좋은 수가 없을까?"

나는 그전까지 학교 설립을 준비해오면서 장애물 경주를 잘해왔다고 생각했지만, 이 문제를 놓고서는 유난히 고민이 되었다. 쉬운 길이냐 어려운 길이냐, 그것이 문제였다. 차라리 내 능력의

범위를 벗어나는, 하나님만이 해결해주실 수 있는 일이라면 이것 저것 생각할 것 없이 기를 쓰고 기도하면 되는데, 이것은 뒷돈을 주면 쉽게 해결할 수 있는 문제니 더 부담이 되었다. 나는 액수의 많고 적음을 떠나 그냥 슬쩍 눈감고 뒷돈을 주고 허가를 받아야겠 다는 유혹과 그리스도인이 지켜야 할 정직 앞에서 어느 쪽을 택할 까 우물쭈물 망설이지 않을 수 없었다.

하나님께서 이번에는 마치 팔짱을 끼고 내가 어떻게 결정하 는지 바라보고 계시는 것 같았다. 나는 현실 타협이라는 유혹의 떡을 덥석 베어 물고 싶은 마음이 굴뚝같았다. 뒷돈을 건네지 않 아서 행여 건축 허가가 나오지 않으면 그에 대한 책임을 모두 내 가 져야 하고, 직장을 내려놓고 이곳으로 온 헌신한 교사들의 생 계도 책임져주어야 한다. 이러한 잡다한 생각들에 빠지다보니 두 려움이 엄습해왔다.

나는 속히 하나님께 나의 선택을 말씀드려야 했다. 나는 제자 들의 얼굴을 떠올리면서 그들이 이곳에 오기까지의 간증들을 되 새기기 시작했다. 그러면서 마음을 다잡아갔다. 나는 물러설 수 없는 마지노선을 구축하기로 했다. 그 마지노선은 설사 건축 허가 를 받지 못하는 한이 있더라도 절대로 타협하지 않겠다는 다짐이 었다. 정직이라는 물맷돌을 집어 드는 순간이었다.

나는 량동휘를 불러 나의 결심을 이야기했다.

"우리가 세상 사람들과 똑같이 한다면, 학교가 필요 없다. '절대 정직'으로 나가자. 물론 네가 여러 가지로 힘들 거야. 그렇지만 여기서 물러서면 끝장이다."

"제가 고생하는 것은 걱정하지 마십시오. 저도 여기까지 올 때는 각오하고 온 겁니다."

"하나님의 일은 하나님이 하신다. 그거 믿고 나가자."

그러자 량동휘가 입술을 꽉 깨물더니 말했다.

"내일 아침부터 학교로 출근하지 않겠습니다."

"왜 그래? 갑자기 무슨 소리야?"

순간 나는 그가 변심했나 싶었다. 그러나 이어지는 말을 듣고 그가 정말 대견해서 황소 같은 몸집의 그를 꼭 안아주고 싶었다.

"아침 먹자마자 관공서로 출근하겠습니다. 관리들에게 눈도장부터 받을 겁니다. 그놈들이 도장 찍어줄 때까지 내 못생긴 얼굴을 계속 들이밀 것입니다. 귀찮아서라도 도장을 찍을 때까지…."

정직 선언문

그 일을 계기로 나는 하나님의 일꾼으로서 우리의 행동 원칙을 정했다. 그리고 헌신한 모든 교사들을 모아놓고 다음과 같은 선언문을 낭독했다.

1. 우리는 하나님이 일하시는 것을 믿으면서 나가겠습니다.
2. 절대로 뒷돈이나 뇌물을 주지 않겠습니다.
3. 식사는 할 수 있으나 술 접대는 절대로 하지 않겠습니다.
4. 차라리 학교를 안 하면 안 하지 부정직한 방법은 사용하
   지 않겠습니다.

우리 모두의 눈빛이 형형히 빛나고 있었다. 의욕과 패기에 넘치는 눈빛이었다. 그렇게 서로에게 선언을 해야 그것에 대한 책임 때문에라도 한 입으로 두말하지 않고 유혹을 떨쳐버릴 수 있는 것이다. 우리는 주님께 이 선언이 지켜지게 해달라고 간절히 기도했다.

그 후부터 나는 아침에 량동휘를 볼 수 없었다. 그는 늘 점심때 학교 사무실에 나다녔다. 그러나 일주일 내내 도장 하나 받아오지를 못했다. 그런 그를 보고 있자니, 나라도 당장 관공서로 달려가 담당자 책상을 둘러엎고 싶었다. 그러나 량동휘에게는 누가 이기나 끝까지 해보겠다는 '거룩한' 독기가 서려 있었다.

그러던 어느 날 점심, 량동휘가 학교 사무실에 들어왔다. 그는 마치 치열했던 전쟁에서 이기고 돌아오는 장군처럼 아주 의기양양한 모습으로 도장 하나 받은 서류를 들고 있었다. 이긴 것이었다! 하나님만을 기쁘시게 해드리겠다는 우리의 믿음이 이긴 순

간이었다. 도장 하나에 우리는 중국 땅 전체를 얻은 기분이었다.

그 후 량동휘는 설계 도면 허가, 지질 탐사 허가, 입찰 확인 허가 등의 항목에 하나씩 하나씩 도장을 받아나갔다. 마음고생이 심한 만큼 날이 갈수록 그의 얼굴은 수척해졌지만, 그래도 그 얼굴에서 실망하는 기색은 전혀 찾아볼 수 없었다. 나는 참으로 그가 대견했다. 그가 믿음으로 한걸음씩 나가는 모습은 우리 교사들 모두의 귀감이 되어갔다.

전설이 된 열방의 이야기

그러고 나서 한 달쯤 지났을까, 봄기운이 완연한 어느 날 오후, 내가 나른한 식곤증에 졸음을 억지로 참고 있는데 량동휘로부터 전화가 걸려왔다.

"최 교수님, 기뻐하십시오. 드디어 서른세 군데 도장을 다 받았습니다."

"뭐, 뭐라고? 방금 뭐라고 했어?"

"도! 장! 다! 받았다고요!"

나의 게슴츠레한 눈은 전화를 받는 순간 왕방울만큼 커졌다. 나는 감격과 흥분으로 떨리는 그의 목소리를 지금도 잊을 수 없다. 그는 숨이 턱에 차도록 달려와 사무실 문을 열자마자 건축 허가증을 자랑스럽게 보여주었다. 그리고는 헉헉거리며 말을 이어갔다.

"마, 마지막 도장을 받는 순간은 그 도장이 올림픽 금메달보다 더 값져 보였습니다. 창피한 줄도 모르고 나는 펑펑 울고 말았죠. 고난 끝에 일구어낸 승리였습니다. 하나님께서 우리에게 다이아몬드 메달을 달아주신 기분입니다."

그가 많은 사람들 앞에서 펑펑 울었다고 한다. 황소같이 우직한 그가 울었다고 한다. 그 얘기를 듣고서 나는 올림픽에서 금메달을 목에 걸고 우는 선수들의 눈물이 이해가 됐다. 량동휘가 울었다는 것이다.

우리가 아무리 원칙을 잘 정해놓았어도 량동휘가 소심하고 용기가 없었다면 결국 타협의 길을 찾았을 텐데, 이러한 느헤미야 같은 불굴의 건축대장이 우리 곁에 있다는 것 자체가 우리에겐 커다란 축복이었다.

사람들에게 좋게 하랴?

몇 년이 지나서 건축 허가를 받은 날의 기쁨을 회상하며 량동휘는 못 다한 이야기를 내게 들려주었다.

"그때 관공서에 매일 출근 도장을 찍으면서 여러 번 넘어질 뻔했습니다. 꿈쩍도 하지 않는 큰 바위 앞에서 안간힘을 쓰는 것 같았습니다."

"나도 많이 원망한 거 아니니?"

"솔직히 조금 했죠. '내가 최 교수라는 사람을 잘못 만나서 이 무슨 고생이냐. 그렇다고 도망가자니 지금까지 바친 인생이 아깝구나' 이렇게 혼잣말로 중얼거렸죠."

"쉬운 일이 아니었는데 네가 마음고생이 참 많았다. 난 네가 정말 자랑스러워!"

"어떤 때는 그냥 내 뒷주머니에서 돈 꺼내주고 도장을 받아야겠다는 생각도 해봤습니다. 물론 교수님에겐 뒷돈 줬다고 얘기만 안 하면 되니까요. 그러면 교수님이 알 게 뭡니까. 하하하."

"하긴 그래. 하지만 네가 뚝심 있게 해나가서 우리 역사의 한 페이지를 장식한 거야."

"다른 사람들이 한 번 갈 부서를 저는 서너 번 다녔습니다. 심지어는 몇십 번을 다니면서 허가를 받았습니다."

책임감으로 인한 심적 고통, 안 되면 어떻게 하나 하는 염려, 쉬운 방법으로 그냥 해결하고 싶은 유혹들 앞에서 내가 량동휘라 하더라도 상당히 고민했을 것이다. 그러나 그는 잘 이겨나갔고, 그 일을 통하여 그의 믿음도 도약하게 되었다. 그 시기, 량동휘를 굳게 잡아준 성경말씀이 있었다고 한다. 갈라디아서 1장 10절 말씀이다.

이제 내가 사람들에게 좋게 하랴 하나님께 좋게 하랴

사람들에게 기쁨을 구하랴

내가 지금까지 사람의 기쁨을 구하는 것이었더면

그리스도의 종이 아니니라 _갈 1:10

량동휘가 마지막으로 전해준 이야기는 관공서 담당자들에 대한 것이었다. 처음에 그들은 그를 무시하고 비협조적이었지만, 마지막 도장을 찍어주면서 이렇게 입을 모아 이야기했다고 한다.

"처음에 당신을 보고, 젊은 사람이 패기는 좋은데 방법을 모르는 풋내기다 싶었습니다. 그런데 시간이 흐를수록 당신의 진실함에 감동했습니다. 당신네 학교는 반드시 성공할 것입니다."

그 후부터 우리 학교는 그들 사이에 전설이 되어갔다.

chapter 10

주님을 신뢰함으로
가장 안전한 곳에 거한다

"우리 교회가 열방학교 건물의 한 층을 책임지고 건축 헌금을 하도록 하겠습니다. 최 선교사님이 우리 교회에서 간증을 나누시고 간 다음에 당회를 열어서 기쁜 마음으로 결정했습니다."

학교 건물을 건축해야 하는데 아직 후원금이 하나도 들어오지 않았을 때, 캘리포니아 주(州) 새크라멘토(Sacramento)의 방주선교교회에서부터 연락이 왔다. 얼마 전에 내가 그 교회에 가서 성도들에게 간증을 나누고 희망시의 허허벌판에 학교 깃발을 꽂은 사진을 보여준 게 다였는데, 하나님께서 뜻밖의 선물을 우리에게 주신 것이었다.

그러나 처음에 그 교회 분들은 우리 사역에 대해 듣고 이렇게 말씀하셨다고 한다.

"용기는 대단하다만… 글쎄?"

그런데 하나님께서 그들의 마음을 변화시키신 것이었다. 그 후로 정말 우리가 기도한 대로 필요에 따라 하나님께서 계속 공급해주시는데, 거의 매달 실신할 정도로 기적의 연속이었다. 인간의 힘으로라면 그런 결과가 도저히 나타날 수 없었을 것이다.

하나님의 손과 발의 자취

어떤 사람들은 우리가 학교를 맨주먹으로 시작했다고 표현한다. 어떤 의미에서는 맞는 말이다. 처음 학교 부지를 구입하려고 할 때, 건축을 시작할 때, 아무것도 가진 것이 없었다.

하지만 하나님께서 우리의 빈손을 잡아주셨다는 의미에서는 맨주먹으로 시작한 게 아니다. 오히려 맨무릎으로 시작했다고 하는 것이 옳은 표현이다. 학교 부지를 사고 건축을 진행하기 이전에, 기도를 쌓은 것이 우리에게 큰 재산이었다.

다달이 필요한 건축 자금을 상상을 초월하며 공급해주신 은혜, 그것은 하나님만이 하실 수 있는 기적이었다. 물론 그분께는 그 일들이 절대로 기적이 아니겠지만….

열방학교의 역사를 보면 인간의 흔적보다는 하나님의 손과 발의 자취를 보게 된다. 실로 그리스도를 믿는 자의 믿음이란, 주님의 손에 붙들려 주님과 함께 걸으면서 끊임없이 주님을 경험해

나가는 것이다. 그리고 칠흑 같은 어둠이 나를 감싼다 해도 무릎으로 내딛는 시간은 새로운 기적의 시작인 것이다.

누가 터미네이터인가

하나님의 도우심으로 학교 건축이 진행되어 어느덧 2003년 7월이 지나가고 있었고, 이제 8월만 지나면 9월에 학교를 개교(開校)할 예정이었다. 그런데 나는 기분이 이상했다. 마지막으로 8월에 필요한 공사 대금 1억 원만 해결되면 된다고 생각하니까, 오히려 더 긴장이 되는 것이었다. 나는 지금까지 모든 일을 이뤄주신 하나님께서 또 마지막은 어떻게 이끌어주실까 하고 기대해야 했음에도 불구하고 그렇게 하지 못했다.

한마디로, 내가 이 사역을 마무리해야 한다고 생각했던 것이다. 사역의 주체가 어느덧 하나님에게서 나로 바뀐 것이었다. 그러나 내가 할 수 있는 일은 아무것도 없었다. 나는 그저 마음으로만 버둥버둥 댔다.

그러더니 7월 중순부터는 가슴을 쥐어뜯고 싶을 정도로 속이 답답해지고, 안절부절못하겠고, 골치가 지끈지끈 아파오기 시작하는데, 두통약이나 수면제라도 먹고 싶은 생각이 든 적이 한두 번이 아니었다.

얼마 후 나는 나 나름대로 해결책을 찾았다. 그것은 바로 영화관을 열심히 출석해서 블록버스터 영화를 보는 것이었다. 예를 들면 아놀드 슈왈제네거가 나오는 〈터미네이터〉 같은 영화 말이다. 나는 상영 시간 내내 혼을 빼앗길 만큼 전개가 빠르고 영상과 액션이 화려한 영화를 보고 있노라면, 그 속에 빠져들면서 두통이 사라지곤 했다.

그러나 그것은 해결책이 될 수 없었다. 영화가 끝나고 다시 차에 올라타 시동을 걸려고 키를 꽂으면 그 순간부터 또다시 골치가 아팠기 때문이었다.

일주일 넘도록 그렇게 시간을 보내고 나서야, 나는 나의 메말라버린 영혼을 보기 시작했다. 하나님은 잠시 쉬라고 해놓고, 내가 나서서 설친 교만함을 발견하기 시작한 것이었다. 나는 진짜 터미네이터, 즉 미션을 마무리하는 사람은 아놀드 슈왈제네거나 내가 아니라 바로 하나님이심을 잠시 잊고 있었다. 한참을 방황하고 나서야 비로소 나는 주님의 이름을 다시 부르기 시작했다.

'지금까지 하나님이 하셨는데, 하나님을 망각한 저를 용서해주세요. 이제 다시 주님을 바라봅니다.'

기다림도 주님의 계획

이 시기 단미션 선교회의 이사장인 유진소 목사님도 마지막 공사 대금 문제로 고민이 크셨다고 한다. 그는 주변 사람 중에서 돈이 좀 있을 것 같은 사람, 그래서 사정을 말하면 우리를 도와줄 수 있을 것 같은 사람에게 열심히 연락을 해보았지만, 결국 일이 잘 성사되지 않았다. 그래서 그도 모르게 "아아, 돈이 좀 있었으면…" 하는 탄식이 입에서 흘러나왔다고 한다.

그런데 그때 갑자기 주님께서 그의 마음속에서 이렇게 말씀하셨다.

"아아, 나도 돈이 좀 있었으면…."

그는 깜짝 놀라 주님께 물었다.

"어떻게 주님이 돈이 없으신가요? 주님은 온 세상의 물질을 다 가지고 계신데…."

그때 하나님께서 그에게 이런 마음을 주셨다고 한다.

"선교 사역을 위해 돈을 필요로 하는 네 마음이 곧 내 마음이다. 그렇지만 그렇게 너를 기다리게 하고 안타깝게 하는 것도 나의 계획과 역사이다. 만일 네 주머니에 돈이 있어서 네가 필요할 때마다 척척 꺼내 쓴다면, 또는 네가 누구에게 전화해서 잠깐 이야기했는데 그 사람이 돈을 척척 내놓으면 그 사역이 어떻게 나의 일이 되겠니? 그러니 너는 기도하고 견디면서 나의 도움을 기다려라."

그 이야기를 함께 나눈 이후로 유 목사님과 나는 철저히 낮은 마음으로 주님의 도우심을 기다리게 되었다. 우리 힘으로는 이 사역을 이룰 수 없고 우리는 너무나 연약한 존재임을 주님께 고백했을 때, 주님은 친히 우리를 위로하시며 우리의 능력이 아닌 그리스도의 능력으로 그 일을 이루시겠다고 약속해주셨다.

[주께서] 내게 이르시기를 내 은혜가 네게 족하도다
이는 내 능력이 약한 데서 온전하여짐이라 하신지라
이러므로 도리어 크게 기뻐함으로
나의 여러 약한 것들에 대하여 자랑하리니
이는 그리스도의 능력으로 내게 머물게 하려 함이라 _고후 12:9

하나님의 긴급 전화

나는 하나님께서 우리에게 필요한 마지막 자금을 보내주셔서 학교 건축 공사를 미무리해주신 것을 믿고 열심히 기도했다. 그러다가 2003년 8월 6일, 아침 일찍 일어나 말씀을 묵상하고 기도하는데, 캘리포니아에서 전화가 왔다. 단미션의 이사로 섬기고 계신 이정희 집사님이셨다. 목소리가 얼마나 들떠 있던지 수화기 너머로 집사님의 상기된 얼굴이 보이는 것 같았다.

"최 박사, 당신 당장 한국에 나가봐야 할 것 같아."

"아니, 아닌 밤중에 웬 홍두깨예요? 왜 그러시는데요?"

"내가 충청남도 둔포에서 목회하시는 조성환 목사님이라는 분과 알고 지내는데, 방금 전화가 왔어."

"그런데요?"

"누가 선교 사역에 써달라고 그 분한테 헌금을 했다는데, 그 돈을 열방학교에 보내줄까 생각 중이시대. 그래서 우리 학교가 정확히 어떤 곳인지 설명을 듣고 싶다시네. 그래서 내가 우리 사역을 가장 잘 아는 최 박사를 당장 보낸다고 했지."

그리하여 3일 뒤 나는 한국으로 날아가 조성환 목사님이란 분을 만났다. 내가 열방학교에 대한 설명을 해드리자 그 분은 아주 기뻐하셨다. 그러고는 하시는 말씀이 내 손에 땀을 쥐게 했다.

"내 친구 김요찬 목사가 먼저 하늘나라에 갔는데, 그 친구가 나에게 헌금을 주면서 이 돈을 선교하는 데 꼭 써달라고 했시유."

조 목사님은 충청도 사투리로 느릿느릿 말씀을 이어가셨다. 나는 그 분이 정말 훌륭하신 친구를 두셨다고 생각했다.

"그 돈이 얼마냐 하면…."

이 대목에 왔을 때는 내 귀가 정말 쫑긋 세워졌다. 조 목사님은 조금 뜸을 드린 후에 이렇게 말씀하셨다.

"그 돈이 자그마치 1억 원이어유."

"네? 1억이요?"

나는 1억 원이라는 말에 깜짝 놀라 뒤로 넘어지는 줄 알았다. 큰 액수이기도 했지만, 그 금액은 당시 우리가 필요했던 액수와 정확히 일치했기 때문이다.

뒤이은 조 목사님의 말씀을 듣고 나는 또 한 번 놀랐다.

"사실 처음에는 우리 교회에서 태국으로 파송한 선교사에게 돈을 보내주려고 했시유. 그런데 이상하게 그 사람한테 전화를 걸면, 전화벨 신호음이 들리는 동안에 '여긴 아닌데, 여긴 아닌데' 하는 생각이 드는 거예유. 그래서 그냥 끊은 것만도 한두 번이 아녀유."

나는 '휴우' 하고 한숨을 내쉬면서 우리에게는 다행이라고 생각했다. 만약에 통화라도 됐다면 그 돈이 그리로 갈 수도 있었기 때문이다. 이어서 조 목사님은 우리와 연결이 된 뒷이야기를 말씀해주셨다.

"아, 글쎄 며칠 전에 새벽기도를 하는데 갑자기 이정희 집사님이 떠올랐시유. 희망시에 무슨 학교를 짓는다고 했던 말을 들었던 게 갑자기 생각이 난 거예유. 그러더니 마치 하나님께서 나에게 긴급전화를 하신 것같이 내 마음이 급해지는 거예유. 그래서 내가 새벽기도가 끝나자마자 이 집사님한테 전화한 거지유. 이렇게 오늘 선교사님을 직접 만나니 마음이 가벼워지네유."

나는 조 목사님으로부터 헌금 송금을 약속받고 둔포 교회를 나오면서 유난히 파란 시골 하늘을 쳐다보며 껑충껑충 토끼처럼 뛰었다. 충청도 양반을 만나서 그런지, 아니면 나의 어머니가 충청도 분이라서 그런지, 나도 모르게 충청도 사투리가 입에서 흘러나왔다. 나는 '하나님! 참말루 멋쟁이시유. 지를 요로콤 놀래키시네유' 하면서 시편 23편을 충청도 버전으로 중얼중얼 읊조렸다.

"주님은 염생이 같은 지를 키우시구 멕이시는 분이시니, 지가 부족한 게 없시유…."

하나님이 원하시는 것 한 가지

그런데 조 목사님이 송금하기로 하신 1억 원이 단미션 통장으로 들어오지를 않았다. 처음에 나는 '목사님이 목회하시느라 바빠서 그런가 보다' 하고 기다렸는데, 1주일이 지나도록 돈이 들어오지 않자 입에서 불평이 나오기 시작했다.

'아니, 아무리 바쁘시기로, 바로 보내기로 하신 분이 이렇게 늦게까지 안 보내시다니!'

어느새 그 1억 원이라는 돈이 이미 내 돈이 되어버린 것이었다. 그때부터는 눈만 감으면 공중에서 1억 원이 왔다 갔다 했다. 나중에는 솔직히 '아, 내 1억 원! 이러다가 뜯기는 거 아니야?' 라는 생각까지 하게 됐고, 시간이 조금 더 지나니까 조 목사님이 미워지기 시작했다.

'떼먹을 돈이 있지, 하나님 돈을 떼먹어?'

그때 나는 한 10년 동안 지을 만한 죄를 며칠 만에 다 지었던 것 같다. 조 목사님을 미워했고, 돈에 대해 집착했으며, 하나님을 잊어버렸다. 내 머릿속에는 오로지 '나' 그리고 '내 돈'만 들어 있었다.

나는 마음속에서 불이 나서 나중에는 잠까지 안 왔다. 당장 1억 원이 없으면 학교를 열지 못한다는 생각만 자꾸 들었다. 그렇게 한 1주일 동안 잠을 못 자니까 아주 죽을 것 같았다. 그때까지 나는 하나님을 찾지 않았다. 오직 돈만 찾았다. 그런데 잠을 너무 못 자서 더 이상 견딜 수 없게 되자, 그제야 내 문제를 깨닫고 하나님을 바라보게 되었다.

'하나님, 지금까지 제가 하나님께서 일하신 걸 누누이 보았는데도 불구하고, 어느덧 이 일을 제가 하고 있다고 생각했습니다. 제가 캡틴(captain)이라고 생각했고, 돈에 집착했습니다. 이제는 그 돈이 제 것이라고 생각하지 않겠습니다. 하나님, 그 돈이 태국에 먼저 필요하시면 태국에 사용하시고, 베트남에 먼저 필요하시면 베트남에 사용하시고, 카자흐스탄에 먼저 필요하시면 카자흐스탄에 사용하십시오. 하나님의 사역이 지금 온 세계 이곳저곳에서 벌어지고 있는데, 얼마나 많은 선교사들이 돈이 필요하겠습니까. 이제 더 이상 그 돈은 제 돈이 아닙니다.'

그렇게 나는 하나님이 필요하신 곳에 그 돈을 쓰시도록 주님께 재정권을 올려드렸다. 그제야 비로소 잠을 잘 수 있었다.

그런데 참 신기한 게, 바로 다음 날 둔포의 그 교회 부목사님으로부터 이런 이메일이 들어왔다.

"선교사님께 헌금을 보내기로 한 후, 저희 목사님께서 정말로 좋아하고 계십니다. 그리고 돌아가신 김 목사님의 가족들도 그 돈이 너무 귀한 곳에 쓰이게 되었다며 무척 감사하고 있습니다. 그래서 저희는 그냥 헌금만 보내드리기보다는 다 같이 희망시를 방문하여 열방학교를 직접 보기를 원합니다."

이럴 수가! 헌금만으로도 감사한데 직접 방문해주시겠다니, 하나님의 역사하심이 정말 놀라웠다. 그 이메일을 읽고서 나는 무릎을 탁 치면서 외쳤다.

'아! 하나님께서 이렇게 일하시는구나!'

그때 하나님께서 내 마음에 이런 메시지를 주셨다.

"내가 너에게 원하는 게 뭔지 아느냐? 네가 학교를 지어 나를 위해 일하는 것, 그것도 물론 중요하지만, 내가 원하는 건 그것이 아니다. 내가 너에게 원하는 건 딱 한 가지다. 바로 나에 대한 절대 신뢰다. 네가 나만 의지하면 다른 모든 일은 뒤따라온다."

나는 하나님에 대한 절대 신뢰가 무엇인지 그때 직접 경험했다. 그전에 성경에서 하나님을 신뢰한 사람들의 이야기를 무수히 보았지만, 절대 신뢰가 무엇인지 나는 그 경험을 통해서 비로소 깨달았다.

가장 안전한 곳

그 일을 계기로 나는 돈이 아니라 하나님을 신뢰해야 함을 절실히 깨달았지만, 아직도 유혹은 계속된다. 안정적인 재정이 확보되면 더 안전하게 학교를 운영해나갈 수 있을 것 같다는 생각이 문득문득 내 머릿속에 찾아온다. 그러나 나는 하나님을 의지하기보다 눈에 보이는 통장을 의지하려는 것이 나약한 생각임을 이내 깨닫는다. 돈이 많아야 안전한 것이 아니라, 하나님께서 함께하실 때 가장 안전한 것이다.

돌이켜보면, 이국땅에서 복음을 전한다는 것 자체가 결코 안전한 일은 아니었다. 그러나 하나님께서는 내가 중국에 온 이후로 그 긴 시간 동안 나를 안전하게 지켜주셨다. 만약 편안한 환경에서, 언제나 재정이 풍부한 상태에서 사역을 해왔다면 아마 나는 이미 교만해졌을 것이다. 우리에게 닥치는 어려움도 하나님께서 주신 복(福)임을 깨달으면서, 나는 이 시간도 주님께 고백한다.

"주님, 주님이 임재하시는 곳이 가장 안전한 곳입니다."

전능하신 하나님께서 우리 인생에 개입하셔서 그분께는 기적이 아니지만 우리 눈에는 기적인 그 놀라운 일들을 이루시도록, 우리 모두가 자기 자신이나 세상이 아니라 오직 주님께 인생을 걸기 바란다. 그러면 구하고 찾고 두드리는 대로 이루어지는 하나님의 역사를 체험하게 될 것이다.

네 인생을 주님께 걸고 4부
그 나라를 위해 질주하라

chapter 11

마른 뼈들에게 생기를 불어넣는 열방의 사명

개교를 앞두고 이제 우리에게 남은 문제는 신입생을 모집하는 일이었다. 학교만 지어놨다고, 학부모들이 이름도 모르고 미래가 어떻게 될지도 모르는 신설 학교에 자녀들을 보내줄 리가 만무했기 때문이다. 하지만 어려운 문제 앞에서도 나는 지금까지 인도해오신 하나님만 생각하면 힘이 났다. 그래서 분명히 하나님께서 도우실 것을 믿으며 먼저 감사기도를 드렸다.

'주님께서는 한 치의 오차도 없으신 완벽한 분이십니다. 학생들이 어디서 올지 저희는 알 수 없지만, 분명히 주님께서 열방학교에 보내주실 학생들을 예비해놓으셨을 줄 압니다. 곧 몰려올 학생들에 대해 미리 감사를 드립니다. 그리고 그들을 멋있는 주님의 일꾼으로 만드는 데 저희를 동역자로 불러주심을 감사드립니다.'

나는 교사로 헌신한 제자들과 함께 머리를 맞대고 신입생 모집을 위한 계획을 세워나갔다. 우리는 우선 200여 개의 원근 각처에 있는 초등학교들을 방문하기로 했다. 그리고 곧바로 초등학교 현장에 나가 열방학교 설명회를 열심히 해나갔다. 비록 우리 학교에 막대한 자금이 들어간 초일류 시설이나 세상 사람들 눈에 기라성처럼 보일 교사들은 없지만, 우리는 하나님이 주신 비전 하나로 아이들을 모으기 시작했다.

우리는 돈을 많이 들여서 거창하게 학교를 홍보하는 것이 아니라 발품을 팔아 주님이 만나게 해주시는 아이들을 만나야 했다. 땅속의 보화를 캐는 심정으로 한 영혼 한 영혼을 대하면서 200여 학교를 돌아다녔다. 어느 초등학교에서는 교장이 아예 우리에게 교문을 열어주지 않아서 교문 앞에서 반나절을 기다리다가 지쳐서 그냥 돌아오기도 했다. 우리는 농촌 마을까지 다니기 때문에 바람이 많이 부는 날에는 흙먼지를 뒤집어썼고, 때로는 먼 곳까지 가서 따뜻한 물이 나오지 않는 초대소(여관)에서 새우잠을 잤다. 어떤 교사는 기차를 하루 종일 타고 가서 당나귀가 끄는 마차를 타고 벽촌을 샅샅이 훑으며 아이들을 만나기도 했다.

하나님께서는 우리의 노력과 기도에 응답하셔서, 개교한 첫해에 60여 명의 어린 영혼들을 우리에게 보내주셨다. 그들은 처음에 열방학교에 와서 천방지축으로 교실을 뛰어다녔고, 심지어 어떤 아이는 친구와 싸우다가 학교 화장실 양변기에 친구의 머리를 처넣기까지 했다.

그러나 하나님께서 그들을 예수님의 말씀을 따르는 순한 양으로 변화시켜주실 것을 믿었기에 우리 눈에는 그들이 모두 보석들로 보였다. 그들은 우리에게 에메랄드였고, 비취였고, 사파이어였으며, 다이아몬드였다.

가정 같은 학교

'열방학교는 어떤 학교가 되어야 할까?'

나는 개교를 앞두었을 때 학교의 구체적인 비전에 대해 이런저런 생각을 해보았다. 그러다가 나의 제자들을 처음 만났던 때를 떠올리게 되었다. 그때 제자들과의 공동생활을 통해 내가 배운 것은 '사랑만이 사람을 변화시킨다'는 것이었다. 제자는 스승을 보고 배운다는 것을 몸소 체험했던 것이다. 그래서 나는 우리 학교가 이런 학교가 되었으면 하고 열방학교의 비전을 다음 세 문장으로 나타내게 되었다.

More than a School, We are a Family.

More than a Teacher, You are a Shepherd.

More than a Student, You are a Disciple.

학교 이상의, 우리는 가정이다.
교사 이상의, 당신은 목자이다.
학생 이상의, 너는 제자이다.

이 짧은 세 문장에 우리의 분명한 사명과 목표가 깃들어 있다. 미국 바이올라대학교의 기독교교육학 교수인 월터 박사가 우리 학교를 방문했을 때, 학교 체육관 벽에 붙어 있는 이 문구를 발견하고는 빌려 써도 되느냐고 물은 적이 있다. 그래서 내가 이 세 문장에 대한 저작권이 나에게 있으므로 로열티를 지불하라고 농담하기도 했다.

우리 학교의 비전대로 가정 같은 학교가 되기 위해서 교사들이 가장 먼저 버려야 할 것은 권위 의식이고, 갖추어야 할 자질은 뭐니 뭐니 해도 사랑이다. 우리 교사들은 학생들에게 사랑을 실천하기 위해 최선을 다하고 있다.

불가능한 일을 이루는 열방의 교사

우리 학교 교사들이 얼마나 지극한 섬김의 삶을 사는지 내 입으로 말하기는 부끄럽지만, 그 교사들에게 섬김의 삶을 친히 보여주시고 그들을 이끌어가시는 우리 주님께 영광을 올려드리기 위해 한 가지 일화를 소개한다.

우리 학교 교사 중에 닝만이라는 사람이 있다. 그는 앞에서 소개한 우리 학교 책임 요리사 톈샹룽의 동생이다. 내가 닝만을 처음 만났을 때 그는 머리는 더벅머리에 불도그(bulldog)처럼 혈기가 넘치던 친구였다. 한마디로 길들여질 것 같지 않은 야생마였다. 그런 그가 예수님을 영접한 후 정금같이 연단되어갔다.

특히 닝만은 내가 학교 부지 구입을 끝냈을 때, 다른 지역에서 하던 사업을 곧바로 정리하고 나를 돕겠다고 나섰다. 내가 아직 건물 건축을 시작하지 않았으니 너무 서두를 필요는 없다고 했을 때 그는 이렇게 말했다.

"아닙니다. 이제부터 본격적인 영적 전투가 벌어질 텐데, 사업보다는 말씀과 기도로 준비하는 시간을 갖겠습니다."

닝만은 정말 그 길로 사업을 그만두고 학교 건축이 시작될 때까지 몇 달간 애심고아원에서 고아들을 돌보면서 성경을 읽고 기도를 하며 지냈다. 그곳에서 그는 특별히 지적장애 아이들을 돌보았는데, 그중에 은철이라는 아이가 있었다. 은철은 대소변을 가릴 줄 몰라 옷 입은 그대로 서서 일을 보는 아이였다.

그런데 하루는 닝만이 애심고아원 숙소에서 은철과 함께 잠을 자다가 돌아눕는데, 고약한 냄새가 코를 찔렀다. 슬며시 눈을 떠본 순간 그는 잠이 확 달아났다. 은철이 똥을 싸서 온 방에 완전히 범벅을 해놓은 것이었다.

"앗! 이게 뭐야? 은철이 이 녀석이!"

닝만은 인상을 잔뜩 찌푸린 채, 은철이 이불과 벽에 페인트칠을 해놓은 똥을 치웠다. 한밤중에 참으로 죽을 맛이었다고 한다.

그런데 닝만이 청소를 마친 후에 자신이 무슨 일을 벌였는지도 모르고 쿨쿨 잠을 자고 있는 은철의 얼굴을 가만히 보고 있자니, 여덟 살이 넘도록 대소변도 못 가리는 그가 안타까운 마음이 들었다. 그때 닝만은 '무슨 방법을 동원해서라도 반드시 이 녀석에게 똥 누는 법을 가르쳐주고 말리라' 하고 독하게 결심했다고 한다. 그리고 그날부터 매일 하나님께 이렇게 기도했다고 한다.

'가난한 자들과 고아들을 버리지 않고 보호하시는 자비로우신 하나님, 은철이가 대소변을 가릴 수 있도록 제가 사랑하는 마음으로 그를 섬기게 해주소서.'

그러나 그 일은 이론으로 되는 게 아니었다. 다음 날부터 닝만이 한 일은 직접 보여주는 것이었다. 닝만은 화장실에 갈 때마다 은철을 찾아 손목을 딱 잡고 "똥! 똥! 똥!" 하고 외쳤다. 그런 다음 은철을 화장실 안까지 끌고 가서 자기 앞에 세워놓고 직접 하나하나 보여주었다. 바지를 내리고, 변기에 앉고, 힘을 주고, 일을 보고, 휴지로 닦고, 다시 옷을 추켜 입고, 물을 내리고 하는 모든 과정을 순서대로 다 보여주었던 것이다.

닝만은 하루 이틀도 아니고 매일 은철을 위해 이 일을 반복했다. 일주일이 흐르고, 열흘이 훌쩍 지나가고, 보름이 넘었다. 이렇게 노력함에도 불구하고 은철은 여전히 옷에 똥을 쌌지만, 닝만은 포기하지 않고 열심히 그 일을 계속 수행했다. 그러나 한 달 내내 해도 별 소망이 보이지 않았다. 그야말로 '미션 임파서블'(Mission Impossible)이었다. 나 같았으면 벌써 포기하고도 남았을 텐데, 닝만은 정말 끈질기게 해나갔다.

그러던 어느 날, 은철이 갑자기 닝만의 손목을 딱 잡고는 이렇게 말했다.

"똥! 똥! 똥!"

닝만이 매일 했던 말을 그대로 따라하는 것이었다. 그러더니 은철이 닝만을 화장실로 데려가 그를 문 앞에 세워놓고는 자기 바지를 내리고 변기에 앉아 일을 보기 시작했다. 닝만은 자신이 은철을 위해 매일 기도하면서 그렇게 섬겨왔지만, 막상 이런 일이 눈앞에서 펼쳐지는 것을 보니 너무 신기하고 어리둥절했다고 한다. 그리고 자기도 모르게 응원이 나오는데, 그때의 진지함과 설렘은 한 달 내내 은철을 섬겨보지 않고는 느낄 수 없는 감동이라고 했다.

"그래, 짜요(힘내), 짜요, 조금만 더."

그리고 한 덩이가 '통' 하고 변기에 떨어지는 소리가 나자, 닝만은 저절로 이렇게 외쳤다고 한다.

"아싸! 할렐루야!"

두 번째 덩이가 떨어질 때도 또 할렐루야! 아마 대변보는 것을 보면서 할렐루야를 외친 사람은 이 세상에 닝만밖에 없을 것이다. 그때 닝만은 은철의 대변 냄새가 고약한 것이 아니라 얼마나 구수했는지 모른다고 한다.

결국 은철은 훈련받은 대로 정확히 일을 다 보고 변기에 물을 내리는 뒤처리까지 완벽하게 끝냈다. 닝만은 변기에서 시원하게 물이 내려가는 것을 보고는 하늘 높이 번쩍번쩍 점프하면서 고아원 건물이 떠나가도록 환호성을 질렀다.

"야호! 하나님, 은철이가 드디어 해냈습니다!"

그날 뒤로 은철은 대소변을 가리게 되었다. 정말 사랑의 힘은 위대했다. 그 일을 계기로 닝만은 더욱더 낮은 마음으로 아이들을 섬기게 되었고, 우리 학교에 와서도 그 섬김을 계속해가고 있다.

김 선생의 첫 임무

개교한 이래 하나님께서 아이들을 계속 보내주셔서 지금 열방학교 재학생은 500명이 넘는다. 우리 학교는 이 지역 사람들로부터 교사와 학생들 간에 사랑이 넘치는 학교라는 소리를 듣고 있다. 외부에서 우리 학교를 방문한 손님들도 이구동성(異口同聲)으로 하는 얘기가, 아이들 얼굴이 어찌 그리 밝은지 모르겠다는 것이다. 바로 닝만과 같은 교사들이 삶으로 사랑을 보여주고 아이들을 섬기니까, 아이들이 마음으로부터 우러나와서 교사를 따르고 변화되는 것이다.

예를 들면 열방학교 교사 중에는 고기만 좋아하고 편식하는 학생에게 손수 야채 주스를 갈아서 가져다주는 교사가 있다. 우리 교사들은 한밤중에 아픈 학생이 있으면 곁에서 밤새 간호하는 일을 아무렇지 않게 한다. 학생들이야말로 우리 학교의 보석이고, 하나님께서 우리에게 맡기신 소중한 자녀이기 때문이다.

그런데 2005년 1월 어느 날, 김현주 선생이 매우 당황한 얼굴로 나를 찾아왔다. 김 선생은 한국에서 프리랜서 그림 작가로 활동하다가 우연히 열방학교 소식을 듣고는 이곳으로 건너와 미술 교사로 봉사하고 있는 자매이다.

"아니, 김 선생 무슨 일이에요?"

"어쩌죠? 우리 교사들이 몰래 예배드리는 걸 아이들이 알아버렸어요."

나는 김 선생의 흥분을 가라앉힌 후 차근차근 이야기를 해보게 했다. 이야기인즉, 아이들이 살며시 다가와 "선생님, 선생님들이 일요일 아침마다 빈 교실에 모여서 창가 부를 때 저희도 같이 있으면 안 돼요?" 하고 물었다는 것이었다. 내가 생각해도 깜짝 놀랄 만한 일이었다. 일요일 아침마다 부르는 창가라면 찬송을 말하는 것이었기 때문이다.

우리 교사들은 열방학교가 실제로는 미션 스쿨이라는 사실을 중국 정부에 알리지 않기 위하여 방과 후에 개인적으로 학생들을 전도하고 있다. 그러다 보니 교사들이 모여서 드리는 주일 예배도 학생들 몰래 드리고 있는데, 그걸 알고 있는 아이들이 있다니 어떻게 대처해야 하나 고민이 되었다.

"감사하게도 그 이야기를 한 학생 중에 두 명은 예수님을 믿는다고 하더라고요."

김 선생은 당황스러우면서도 한편 기쁨이 넘치는 얼굴로 내게 말했다. 나는 그런 김 선생의 얼굴을 보면서 이제 때가 왔구나 싶었다.

사실 나는 열방학교 교사들에게 교사로 헌신한 후 얼마 동안은 아이들을 전도하도록 권하지 않는다. 그 기간 동안은 자신을 낮추고 섬김의 삶을 통해 아이들과 친해지면서 임무를 준비할 수 있도록 하는 것이다.

나는 이 일을 계기로 김 선생에게 본격적으로 임무를 맡겨야겠다고 생각하고 격려하며 말했다.

"일단 믿는다는 아이들과 만나 정말 신앙이 있는지 확인 작업을 하고, 이 기회에 주변 아이들에게 복음을 전해요."

이후 김 선생은 열심히 임무를 수행하여 많은 전도의 열매를 맺었는데, 그 결과에 대해 이야기하면서 이런 말을 들려주었다.

"아이들을 한 명 한 명 만날 때마다 눈물로 기도하고, 하나님께 모든 것을 맡기고, 제가 전할 수 있는 모든 것을 이야기해주었습니다. 그런데 품성이나 평소 하는 일로 봐서는 전하기만 하면 믿겠다고 생각했던 아이는 '선생님, 이해는 다 되는데요, 안 믿어져요'라고 말하는 반면, '어휴, 애한테는 어디서부터 얘기를 꺼내야 할지 모르겠다. 얘기해도 안 믿을 것 같은데 괜히 상황만 곤란해지는 거 아냐?' 했던 아이는 너무나 놀랍게도 '네, 선생님 믿을 게요!' 라고 말하더군요. 그때 '구원은 정말 주님이 하시는 일이구나!' 하고 확실히 깨닫게 되었습니다."

사랑도 내가 하는 게 아니다

김 선생의 이야기를 들으면서 나는 고개를 끄덕였다. 나 역시 구원은 정말 주님이 하시는 일이라는 것을 깨달아 알고 있었기 때문이다.

아직 내 제자들이 예수님을 영접하지 않았을 때, 나는 매일 그들의 이름을 하나하나 불러가며 그들의 구원을 위해 기도했다. 그럴 때면 그 영혼에 대한 안타까운 마음에 눈물이 저절로 흐르곤 했다. 그리고 열방학교 학생들을 위해 기도할 때도 그 영혼들이 주님을 만나 어릴 때부터 주님과 교제하며 진정한 기쁨을 누리기를 바라는 마음으로 많은 눈물을 쏟곤 한다.

그러나 내가 그렇게 전심으로 기도를 하고 사랑으로 학생들을 대해도, 쉽게 마음 문을 열지 않는 학생들이 있다. 그런 학생들을 대할 때면, 나는 정말 어떻게 해야 할지 모르겠고 마음속으로 차디찬 절망감이 몰려온다. 사랑을 주고 또 주어도, 그들의 마음을 움직이기에 내 사랑이 턱없이 부족하다는 느낌에 가슴이 답답하고 막 몸부림치고 싶을 때까지 있다.

사실 나는 중국으로 오기 전에 연구원으로 일하면서, 내 머리의 한계를 느낄 때가 있었다. 노벨상 같은 큰 상을 타고 싶었지만, 전공 분야를 연구하면 연구할수록 모르는 것투성이였다. 책을 파고 또 파며 공부했지만, 아는 것보다 모르는 것이 더 많아지는 것은 어쩔 수 없었다. 공부를 많이 하면 할수록 방대한 세상 지식에 비하여 나의 지식이 얼마나 부질없는지를 알게 되는 것이다.

사랑 역시 마찬가지인 것 같다. 사랑하지 않는 사람은 자신의 사랑이 적은 것을 알지 못한다. 그러나 사랑하면 할수록, 자신의 사랑에 한계가 있다는 것을 알게 된다. 그럴 때면 마음이 얼마나 답답한지 모른다. 그럴 때는 사랑의 발걸음을 한 발짝도 더 뗄 수 없게 가로막고 있는 절벽을 만난 것 같다.

그런 상황에서 내가 할 수 있는 일이란, 정말 전적으로 하나님께 매달리는 일뿐이다. 그래서 나는 아무리 전도해도 전도되지 않는 학생들 앞에서 체면도 차리지 않고 흐느끼며 하나님께 기도한 적이 여러 번 있다.

'하나님 아버지, 어떻게 좀 해보세요. 저는 더 이상, 더 이상, 도저히 못하겠어요.'

그렇게 내가 아무 말도 못하고 눈물만 펑펑 흘리며 기도하고 있으면, 내 앞에 있던 학생도 예수가 안 믿긴다는 말을 더는 하지 못하고 그냥 자기 집이나 기숙사로 돌아간다. 그런데 감사한 일은, 그렇게 절망 끝에 흘린 내 눈물을 보고 돌아간 학생 중에 예수님을 믿기로 결단하는 학생들이 나온다는 것이다. 내가 더 이상 내 힘으로는 사랑할 수 없다며 전적으로 주님을 의지할 때 구원을 이루시는 주님을 보면서, 나는 구원도 주님이 하시는 일이며, 사랑도 결국 주님이 하시는 일임을 깨달았다.

구원은 여호와께 있사오니
주의 복을 주의 백성에게 내리소서 _시 3:8

우리가 사랑함은 그가 먼저 우리를 사랑하셨음이라 _요일 4:19

내가 비록 중국에 선교하러 와 있지만, 구원은 나나 우리 헌신한 교사들이 이룰 수 있는 것이 아니라 주님만이 하실 수 있는 일이다. 그리고 비록 우리가 이 땅 아이들을 사랑으로 섬기며 복음을 전하고 있지만, 우리가 그들을 사랑할 수 있는 이유는 우리의 사랑이 크기 때문이 아니라 주님께서 먼저 우리를 사랑하시고 우리가 더는 사랑할 수 없을 것 같은 장벽에 부딪힐 때마다 친히 그 크신 사랑으로 우리를 도우시기 때문이다.

나의 헌신이 아닌 하나님의 헌신

지금 열방학교 교사는 내 제자들과 미국이나 한국에서 온 선교사들로 구성되어 있다. 외국에서 온 선교사들 중에는 1년이나 2년 정도 사역하고 돌아간 사람들도 있는데, 하나같이 그 기간 동안 하나님께서 자신들을 성장시키신 모습을 발견하고는 기뻐하며 영적으로 성숙한 모습으로 돌아갔다.

단기로 봉사하러 온 선교사 중에 준(June) 자매가 특별히 기억에 남는다. 준 자매는 영어 원어민으로 영어를 가르치며 선교하는 삶을 일찍부터 꿈꿔왔지만, 너무나 겁이 많아서 실천을 하지 못하고 있었다. 처음에 준은 단미션 사무실에 찾아와서 이렇게 말했다.

"정말 헌신하고 싶은데, 과연 제가 전혀 모르는 곳에 가서 잘할 수 있을까 용기가 안 나요. 그렇지만 정말 가고 싶어요. 누가 저를 그냥 밀어버리면 좋겠어요. 그러면 밀려서라도 가잖아요."

나는 준 자매를 두고 하나님께서 우리 학교에 보내주시는 교사가 맞는지 하나님의 뜻을 여쭈었다. 기도 중에 하나님께서 맞다는 사인을 강하게 보내주셨고, 나의 적극적인 설득으로 준 자매는 열방학교에 합류했다.

준 자매는 정말 열과 성을 다해 아이들에게 영어를 가르쳤다. 그녀를 포함한 원어민 영어 교사들의 수고로 우리 학교 아이들 세 명이 중국 전 지역 학생들이 모인 영어웅변대회에서 금상을 수상하기까지 했다.

준 자매는 1년 동안 아이들과 함께 지내면서 말할 수 없는 은혜를 받고 이별을 몹시도 아쉬워하며 미국으로 돌아갔다. 얼마 후 그녀가 이메일로 간증을 보내왔는데, 그 내용은 내가 오랫동안 잊지 못할 만큼 뜻깊은 것이었다. 바로 진정한 '헌신자'가 누구인지를 다시금 깨닫게 하는 내용이었다.

중국의 열방학교에서 영어 교사로 봉사하며 있었던 1년을, 나는 내가 하나님께 헌신한 1년이라고 항상 말해왔다. "1년을 헌신하는 동안에, 1년을 헌신하게 된 계기는, 1년을 헌신하면서, 1년을 헌신했습니다" 등등… 헌신이라는 말의 주어는 줄곧 나 자신이었다. 그런데 1년을 '헌신'했다고 생각하고 지금 다시 미국에 돌아와서 보니, 그 1년은 내가 헌신했던 기간이 아니라 하나님께서 나에게 헌신하셨던 기간이었다.

처음 중국 땅을 밟을 때 나는 믿음으로 부름 받았다는 사실 하나를 붙잡고 갔던 것 같다. 내 앞에 펼쳐질, 정말 수많은, 기적이라고 표현하고 싶은, 하나님께서 역사하실 많은 일들을 전혀 알지 못했다. 그러나 열방학교에서 나는 나의 목표가 이 세상에 있지 않음을 정말 절실하게 알게 되었다. 내가 바라봐야 할 곳이 이 땅이 아님을 깨달았던 것이다.

사랑스러운 아이들과 존경하는 선생님들과 함께 꿈같이 아름다운 많은 추억을 공유하게 해주시고 정말 중요한 것이 무엇인지 알게 해주셨으니, 정말 그 1년이란 시간은 하나님께서 나를 위해 헌신해주신 기간이었다. 그들과 함께한 울고 웃던 날들이 미치도록 그립다.

나 역시 선교 초기에 '내가' 하나님께 헌신했다는 생각을 가지고 있었다. 그러나 내가 아니라 하나님께서 나를 위해 헌신해주심으로 지금까지 내가 안전하게, 주님의 은혜 안에서 이 사역을 하며 주님과 동행하고 있다.

우리가 주님께 인생을 걸 때, 우리는 자신이 주님을 위해 헌신했다고 생각하기 쉽다. 그러나 진정한 헌신자는 주님이시다. 주님

은 우리가 아직 죄인 되었을 때 우리를 위해 생명을 주셨고, 지금
도 낮이나 밤이나 우리를 보호하고 계시다.

우리가 아직 죄인 되었을 때에
그리스도께서 우리를 위하여 죽으심으로
하나님께서 우리에게 대한
자기의 사랑을 확증하셨느니라 _롬 5:8

여호와는 너를 지키시는 자라
여호와께서 네 우편에서 네 그늘이 되시나니
낮의 해가 너를 상치 아니하며
밤의 달도 너를 해치 아니하리로다 _시 121:5,6

우리를 위해 자신을 헌신하신 주님께 인생을 거는 우리 모두
가 되기를 소원한다.

마른 뼈들이 생기를 얻고

열방학교는 국제화시대에 맞게 영어 교육을 강조하고 영어를
생활화한다. 그리고 국제화시대의 인재(人材)를 만들기 위해 미국
의 대학들과 자매결연을 맺고, 매년 겨울마다 미국으로 학생들을

보내 영어 연수를 시키고 있다.

우리 학생들이 미국에 연수 갔을 때의 일이다. 휴스턴(Houston)에 있는 교회의 한 목장에 속한 성도들이 학생들을 초대하여 저녁식사를 같이할 기회가 있었다고 한다. 식사 자리에서 서로 대화를 나누는 가운데 한 성도가 학생들에게 물었다.

"미국 오니까 정말 좋지? 너희도 미국에서 살고 싶지 않니?"

그의 질문에 고등학교 1학년인 바이링링이 대답했다.

"예, 좋아요. 하지만 저희는 중국에서 할 일이 있어요. 중국에는 복음이 필요한 사람이 아직도 너무 많아요."

이 이야기를 들은 그 성도가 크게 도전을 받아서 이렇게 말했다고 한다.

"우리는 선교한다는 기분으로 너희를 초대했는데, 우리가 아니라 너희야말로 우리에게 찾아온 선교사들이구나, 너희에게 오히려 내가 부끄럽구나."

이 이야기를 그 목장의 지도자에게서 듣고 나는 한 가지 비전을 가지게 되었다. 하나님께서 열방학교 학생들을 중국의 캠퍼스를 변화시킬 일꾼으로 사용하시고자 하며, 앞으로 그들이 그냥 대학을 들어가는 것이 아니라 부름 받은 사명자로 가게 될 것이라는 비전이다. 나는 이 비전을 위해 학생들을 훈련시키기로 했다. 그리하여 아이들이 참여하는 아웃리치(out-reach, 선교를 겸한 봉사활동) 프로그램을 만들어 일찍부터 아이들에게 선교에 대한 훈련을 시키고 있다.

처음 열방학교에 와서 천방지축으로 교실을 뛰어다니며 싸움을 일삼던 아이들의 모습을 떠올려본다. 복음을 몰라서 마른 뼈와 같았던 그 영혼들을 하나님께서 만나주시고 변화시켜주셨다. 에스겔 선지자가 본 마른 뼈에 생기가 들어가는 환상이 내 눈앞에서 펼쳐졌다. 바이링링을 포함하여 수많은 열방학교 학생들이 앞으로 주님의 일꾼이 되어 이 대륙과 전 세계에서 크게 쓰임 받을 것을 나는 확실히 믿는다.

여호와께서 권능으로 내게 임하시고

그 신(神)으로 나를 데리고 가서 골짜기 가운데 두셨는데

거기 뼈가 가득하더라

나를 그 뼈 사방으로 지나게 하시기로 본즉

그 골짜기 지면에 뼈가 심히 많고 아주 말랐더라

그가 내게 이르시되 인자야 이 뼈들이 능히 살겠느냐 하시기로

내가 대답하되 주 여호와여 주께서 아시나이다

또 내게 이르시되 너는 이 모든 뼈에게 대언하여 이르기를

너희 마른 뼈들아 여호와의 말씀을 들을지어다

주 여호와께서 이 뼈들에게 말씀하시기를

내가 생기로 너희에게 들어가게 하리니 너희가 살리라 …
이에 내가 그 명대로 대언하였더니
생기가 그들에게 들어가매 그들이 곧 살아 일어나서 서는데
극히 큰 군대더라 _겔 37:1-10

화장실에서 흘린 눈물

어느 가을날, 내가 학교 화장실에서 일을 보고 있을 때였다. 복도에서부터 화장실 쪽으로 걸어오는 발자국 소리가 들렸다. 나는 별생각 없이 하던(?) 일에 전념했다. 그런데 발자국 소리의 주인공들이 화장실에 들어오더니 창가 쪽에서 서로 뭔가 이야기를 주고받는 것이었다. 나야 큰일을 보고 있었으니, 그들은 내가 화장실 칸 안에 있는 줄을 미처 모르고 있었다.

'무슨 말을 저렇게 소곤대고 있는 걸까?'

나는 나도 모르게 귀가 쫑긋해지면서 마음의 안테나를 세우고 그들의 대화에 귀를 기울였다. 목소리가 여린 것으로 보아 학생들인 게 분명했다.

그런데 그중에 한 아이가 얼마 전 예수님을 믿게 된 이야기를 하고 있었다. 이 나라에서는 공개적으로 전도를 할 수 없으므로 화장실로 자기 친구를 데려와 전도하는 모양이었다. 나는 화장실 문틈으로 아이들의 얼굴을 보았다. 황지강이란 학생이 평소 가장

친하게 지내는 친구 요관화 옆에서 소곤거리고 있었다.

"야, 요관화, 너 예수가 누군지 알아?

"예수? 영화에 나오는 머리 긴 남자?"

"그래, 맞아. 그 예수님이라는 분이 하나님이시다."

"너 미쳤냐? 사람이 어떻게 신이 될 수가 있어?"

"아니야, 신이 인간이 되신 거야. 내가 예수님을 믿은 지 얼마 안 돼서 너에게 자세히 설명해주진 못하겠지만, 난 그 예수님이 나를 구원하셨다는 걸 믿어. 내 죄를 깨끗이 씻어주신 분이라는 걸 믿는다고. 관화야, 너 나하고 선생님들한테 가보지 않을래? 선생님들이 나한테 예수님을 전해주셨는데, 우리 같이 가서 네가 궁금해하는 것 다 물어보도록 하자."

"인마, 너 입조심해라. 너 예수 믿는 것 또 누가 아냐?"

그때 나는 화장실 안에서 숨소리를 죽여가며, 남모르게 진행되는 전도 현장의 생생한 대화를 엿들으면서 한창 은혜를 받고 있었다. 그런데 이 대목에서 요관화가 황지강을 걱정해주는 것이 조금 이상하다고 생각했다. 보통 믿지 않는 중국인들이 친구가 기독교인인 걸 알게 되면 대번에 안면을 바꾸어버리기 때문이다. 요관화의 질문에 황지강은 계속 답변해나갔다.

"지금 너밖에 모르는데."

"너, 다른 친구들이 알면 미쳤다고 할 거다. 그러니 조심해."

"아냐. 요관화, 넌 나와 가장 친한 친구니까 너도 예수님 믿어야 한다. 인마, 난 솔직히 예수님 믿고 나서 미움이 많이 없어졌어. 그전에는 우리 엄마 아빠를 미워했어. 그런데 예수님을 믿고 난 후 나는 그 분들을 위해서 생전 처음 기도라는 것을 해봤어. 그 이후부터 내 마음이 정말 편해졌어. 그리고 엄마 아빠에게 예수님 믿으라고 했어. 너도 믿어야 한다."

"야, 황지강, 나도 사실… 예수님… 믿는다. 미안하다, 얘기 못해서. 모르는 척했어. 용기가 안 났어. 난 미국에서 온 영어 선생님으로부터 예수님 얘기를 들은 후로….."

"야, 인마! 왜 나한테 얘기 안 했어? 역시 넌 뭔가 좀 다르다고 생각했어. 친구들도 많이 배려해주고 하는 모습이…. 너무너무 기쁘다."

"그래도 조심해야 해."

"아무튼 정말 잘됐다. 우리 앞으로 성경공부도 같이 하자."

"야, 목소리 좀 낮춰. 남들이 들으면 어쩌려고."

이야기인즉, 두 아이 모두 예수님을 믿고 있었던 것이다. 그러나 공개적으로 남들 앞에서 자기 신앙에 대해 말할 수 없어서 서로 모르고 있었던 것이다. 이 아이들의 대화를 본의 아니게 엿듣게 되면서 나는 정말로 감사했다. 눈물이 나는데 훌쩍거리지 않으려고 무척 노력해야 했다.

미국이나 한국에서는 도저히 상상할 수 없는 일들이 이곳에서 벌어지고 있다. 열방학교 학생들의 고백을 들려주고 싶다.

자신의 인생을 주님께 걸고 열심히 전도하는 선생님들의 모습을 보면서 처음으로 주님의 사랑을 느끼게 되었습니다. 그래서 바로 그날부터 저는 주님을 접수하게 되었습니다 _바이링링

이 땅에 주님을 모르는 사람이 많고도 많습니다. 제가 한 명이라도 전도할 거예요. 주님을 바라보는 눈, 분별을 잘하는 머리, 전도하는 두 손을 갖게 되길 원합니다 _고산청

제 꿈은 대학 졸업 후에 우리 학교의 선생님이 되는 것입니다. 전 물을 건너지 못하는 아이들의 징검다리가 되어주고, 길 묻는 아이들의 지팡이가 되어주며, 어린애의 언 살을 녹여주는 한 자락 옷 같은 선생님이 되겠습니다 _아이화

저는 북한에 가서 하나님 사랑을 전하겠습니다. 북한에도 우리 학교 같은 학교가 필요합니다 _공상서

chapter 12

주님께 인생을 거는
아이들을 키워내는 학교

2006년 어느 여름날, 한국인 한 분이 열방학교에 전화를 했다. 우리 학교 소식을 듣고 전화를 드린다면서 학교에 찾아오겠다는 것이었다. 그는 아들을 데리고 학교에 방문했다. 그리고 학교 이곳저곳을 다 구경하더니만 마음속 이야기를 꺼내기 시작했다 그는 아들을 마음 놓고 보낼 수 있는 학교를 어디에서도 찾지 못했다면서 말을 이어갔다.

"이곳에 와서 선생님들의 열정과 헌신을 보고 저는 결정했습니다. 제 자식을 부탁드리고 싶습니다. 이보다 더 좋은 시설을 가진 학교가 왜 없겠습니까마는, 인재는 좋은 시설에서 나오는 게 아니라 좋은 선생님들 밑에서 나온다는 것을 압니다. 제발 부탁드립니다. 올 때부터 아예 제 아이 비행기 표는 편도만 끊어 왔습니다."

그 아이는 우리에게 찾아온 첫 번째 한국 유학생이었다. 그 아버지의 간곡한 부탁에 우리는 그 아이를 받아들이기로 했다.

그런데 나중에 알고 보니 그 아이는 정신적으로 약간 이상이 있는 아이였다. 공부 시간에도 자꾸만 움직이며 산만하기 그지없었다. 아마 그 아버지가 아이를 우리 학교에 보내면 조금 나아질 수 있지 않을까 하는 희망으로 아이를 데려왔던 것 같다.

정말 다루기 힘든 아이였지만, 우리는 하나님께서 그 아이를 우리 학교에 보내신 것으로 믿고 불평하지 않고 예수님을 섬기는 마음으로 최선을 다해 아이를 돌보았다. 우리가 그 아이에게 쏟아부은 정성을 측량할 수만 있다면 큰 호수만큼은 될 것이다. 아이는 1년 동안 이곳에서 교육 받은 후에 많이 안정된 모습으로 다시 한국으로 돌아갔다.

나는 하나님께서 큰일을 맡기시기 전에 먼저 우리를 훈련시키시는 것을 종종 경험한다. 우리가 인간적으로 생각하면 감당하기 싫고, 할 수 없이 시작하더라도 도저히 감당하지 못할 것 같은 일에 순종할 때, 주님께서는 우리가 그 일을 감당하지 못하도록 그냥 내버려두지 않고 도우심으로 그 훈련을 통해 우리를 성장시키신다.

하나님께서는 그 한국 아이를 통해 우리를 훈련시키셨다. 그리고 놀랍게도 우리가 그 아이를 교육한 이후부터 한국에 소리 없는 소문이 퍼지기 시작했다. 아이들이 우리 학교에 오면 습관이 바뀌고 신앙과 실력을 갖추게 된다는 소문이었다. 그때부터 한국에서 학생을 받아달라는 제의가 열방학교에 들어오기 시작했다.

한국 아이들을 복음의 증인으로

열방학교를 설립했을 때 나는 유학생을 받게 되리라고는 꿈에도 생각하지 못했다. 그런데 한 아버지의 간곡한 부탁으로 한국 유학생을 받은 이후로, 한국 학생을 받아달라는 제의가 학교로 계속 들어왔다. 그리고 중국 정부에서도 유학생을 받아도 좋다는 허가를 내주었다. 일이 이렇게 되자 나는 하나님의 뜻이 너무 궁금하여 기도하지 않을 수 없었다.

'하나님, 중국 선교를 위해서 열방학교를 세웠지, 한국은 아니잖습니까?'

그러던 어느 날 나는 성경을 보다가 "땅 끝까지 이르러 내 증인이 되리라"라는 사도행전 1장 8절 말씀에 이르러, 그 말씀을 계속 되새기게 되었다. 그때 하나님께서 내 마음속에 이런 말씀을 주셨다.

"내가 한국 아이들을 나의 복음을 위해 증인으로 부르겠다. 너는 내 이 계획에 순종하라."

그동안 나는 비록 중국과 미국에서 주로 지냈지만, 한국 매스

컴을 통하여 한국의 교육제도에 많은 문제점이 있다는 것을 들어왔다. 그런 이야기를 들을 때마다 한국의 미래를 짊어질 아이들을 잘 키우지 못하는 한국의 현실이 안타까웠다. 하지만 단지 안타까워하고만 있었는데, 하나님께서 주님의 어린 일꾼을 기르시는 일에 열방학교를 쓰시겠다니, 나는 기쁨으로 순종하기로 결단했다.

그래서 나는 한국 유학생을 잘 보살필 수 있는 학교 정책들을 만들고, 교사를 확충하고, 아이들이 세계적인 시야를 가지고 타문화를 쉽게 수용할 수 있게 하며 무엇보다 예수님을 닮은 섬김의 리더로 자라도록 지도하는 교과과정을 만들었다.

이제 열방학교는 한국 아이들까지 하나님의 일꾼으로 훈련시키고 있다. 이곳에 있는 중국인, 미국인, 그리고 한국인 교사들 모두 힘을 모아 한국 유학생들을 통하여 한국 선교를 해나가고 있다.

생각을 바꾸시는 하나님

열방학교로 유학 온 학생들 중에는 예수님을 모르는 가정에서 자란 아이들도 꽤 있다. 그 부모가 국제화시대에 중국어와 영어 교육을 받을 수 있는 학교를 찾다가 우리 학교에 아이를 보낸 것이다. 나는 하나님께서 그런 아이들까지 우리 학교로 보내주시는 이유가 그들에게 복음을 전해주시기 위해서라고 생각한다. 그래서 우리 학교에 믿지 않는 유학생이 오면 하나님께서 하나님의 자녀로 미리 선택하셔서 보내신 것으로 믿고, 그에게 복음을 전하는 사명을 감당하고 있다. 비록 그 부모는 전혀 그렇게 기대하지 않는다고 해도 말이다.

한국에서 유학 온 학생 중에 상민이라는 학생이 있다. 그는 타 종교를 믿는 집안에서 자란 만큼, 처음에 열방학교에서 적응하기가 힘들었다고 한다. 그는 그때를 이렇게 회상한다.

"저는 하나님을 한번 믿어볼까라는 생각조차 해본 적이 없어요. 그래서 열방학교에서 하나님에 대한 이야기를 들었을 때 저도 모르게 짜증이 나서, 제가 믿는 신에게 '홀리지 않게' 해달라고 기도했어요."

그런데 열방학교에서 지난 학기에 열린 한국 유학생 수련회를 통하여 상민의 생각이 달라졌다. 수련회 첫날, 상민은 한 학기 기도를 건성으로 한 것은 물론이고 강사로 초청되어 오신 목사님의 설교조차 한 귀로 듣고 한 귀로 흘렸다고 한다. 그리고 학생들이 다 같이 강대상 앞에 나가 기도할 때에도 그는 앉아 있던 자리에서 일어나지 않고 자신이 믿는 신에게 기도를 했다.

그런데 상민이 수련회 둘째 날도 전날과 마찬가지로 시간만 대충 보내려는데, 교사 한 분이 상민의 몸을 일으켜 세워서 강대상 앞으로 인도했다. 상민은 힘으로 저항하려고 했지만, 이상하게도 힘을 전혀 쓸 수 없었다고 한다. 그를 이끌고 간 교사는 젊은 사람이 아니라 연세도 많은 분이었는데, 상민은 꼭 선생님이 아니라 다른 힘이 자기를 데려가는 것 같았다.

할 수 없이 앞으로 나간 그는 다른 아이들처럼 강대상 앞에 무릎을 꿇고 앉았지만, 눈도 감지 않고 마음속으로 이 말만 되풀이했다.

'절대 안 믿어.'

그런데 어느 순간 갑자기 그의 생각이 바뀌어버렸다. 이제는 하나님을 믿어야겠다는 생각이 든 것이다. 그는 그때 일어난 생각의 변화에 대해 이렇게 이야기한다.

"제가 생각을 바꾼 것도 아닌데, 생각이 혼자 알아서 바뀌어버렸어요. 정말 신기하면서도 묘했어요. 원래 생각이란 건 자신이 바꾸는 건데, 상식 밖의 일이 일어난 거예요!"

그리고 나서 그는 처음으로 하나님께 이런 기도를 드렸다.

"결국에는 저를 데리고 가시는군요. 저는 하나님에 대해 잘 모릅니다. 차차 알게 해주세요."

상민은 곧 기도 응답을 받았다. 학교 찬양팀에서 봉사하면서 하나님을 더 알아가게 되었고, 놀라운 일들도 많이 경험하게 되었던 것이다.

상민은 이제 자신의 변화에 대해 자랑스럽게 이야기한다.

"신기한 게 예수님을 영접한 뒤로, 게으름을 없애달라고 기도했더니 어느새 게으름이 정말로 줄었어요. 그리고 물건을 잃어버렸을 때 기도했더니 찾은 경우도 있고요. 다른 친구들이 기도 응답받은 이야기를 들려줄 때면 그 일들이 다 믿어져요."

상민은 성경도 열심히 읽으며 하나님에 대한 믿음을 키워나가고 있다. 그는 하나님께서 그에게 믿음을 허락해주신 것을 감사하는 마음으로 학교생활을 하고 있다. 이제 그는 예전의 자신과 같이 다른 신을 믿는 사람이나 무신론자를 만나면 불쌍하다는 생각이 든다고 한다. 그리고 그의 가족 중에서 그 혼자만 하나님을 믿고 있지만 그래도 행복하다고 말한다. 왜냐하면 기도하면 언젠가는 그들도 구원될 거라는 확신을 가지고 있기 때문이다.

열방의 언더우드를 주소서

열방학교에는 예수님을 모르는 가정에서 유학 오는 학생들이 있는가 하면, 이미 한국에서부터 선교사로 부르심을 받고 그 길을 준비하기 위해 유학을 온 어린 선교사들도 있다. 그리고 어떤 이유에서 유학을 왔든지 간에 이곳에서 지내면서 선교사로 헌신하는 아이들도 있다.

어느덧 우리 학교는 미래의 선교사 양성소가 되어가는 듯하다. 나는 삼십이 되어서야 복음에 대한 불이 붙었는데 이 아이들은 십대에 불이 붙었으니, 나는 이들이 앞으로 나오는 비교도 안 될 엄청난 일을 주님을 위해 행할 것을 믿음의 눈으로 바라보게 된다.

지금 이곳에 있는 한국 아이들은 중국어와 영어, 그리고 한국 어를 할 수 있다. 그리고 어릴 때부터 다문화를 경험하여 놀라운 선교적 잠재력을 가지고 있다. 나는 중국의 형제자매들과 함께 땅 끝까지 깃발을 들고 나아갈 수 있는 여호수아 같은 미래의 한국 일꾼들이 만들어지고 있다는 사실을 생각하면 정말 감격스럽다.

나는 우리 학교에서 양성한 인재들 중에 십분의 일 이상이 선 교사로 헌신하기를 소망한다. 그리고 중국으로 선교를 오는 시대 가 아니라 중국과 함께 서쪽으로 선교를 나가는 시대가 올 때, 한 국 아이들이 크게 쓰임 받기를 원한다. 그런 마음으로 나는 주님 께 이런 기도를 드린다.

'이제 중국교회와 함께할 수 있는 선교사 후보생들을 우리 학 교에 보내주소서!'

예배하는 자들을 찾아서

나는 예수님이 다시 오실 때를 상상해본다. 그리스도의 십자 가로 거듭난 모든 사람들은 주님을 예배하며 그분과 함께 있을 것이다. 그때 선교는 마무리가 될 것이다. 더 이상 선교는 존재하지 않을 것이다. 선교는 유한하기 때문이다. 그러나 예배는 영원하다.

우리가 선교하고 전도하는 목적은 지구상의 모든 민족들이 구원자 되시는 주님을 예배하도록 하기 위해서이다. 선교의 목표는 바로 예배이다. 예배하는 자를 얻는 것이다.

세계적으로 매우 큰 영향력을 끼치고 있는 존 파이퍼 목사는 《열방을 향해 가라》에서 "예배는 선교의 목표일뿐만 아니라 선교하도록 하는 연료입니다. … 선교는 예배 안에서 시작하고 예배 안에서 마칩니다"라고 예배의 중요성을 역설한다.

이 땅에 살아 있는 동안 내가 복음을 전하는 일에 열정을 갖는 이유가 있다. 그것은 하나님께서 그분께 예배하는 자들을 찾고 계시기 때문이다. 북한에서, 중국에서, 아프가니스탄에서, 이라크에서, 예루살렘에서… 더 이상 선교가 존재하지 못할 그때가 오기 때문이다.

선교가 존재하지 못할 그날이 오기까지, 나는 열방의 아이들을 열방의 언더우드로 키우며 함께 하나님을 예배할 것이다.

chapter | **13**

'마칠칠' 정신으로 무장하여 하늘 문을 두드리다

지금까지 열방학교는 주로 청소년을 위한 사역을 해왔지만, 앞으로는 더 어린 아이들에게까지 사역을 확대하고자 한다. 이미 유치원은 2009년 3월이면 열 수 있도록 준비를 끝냈고, 초등학교는 2010년 완공될 예정이다.

열방학교가 유치원 사역을 처음 준비할 때, 나는 기도를 정말 많이 했다. 가진 게 맨무릎밖에 없는데, 하나님께서 다른 무엇보다 그 맨무릎을 귀하게 여기신다면 우리가 기도하는 게 당연하지 않을까? 나는 이런 정신을 '마칠칠 정신'이라고 부르는데, 주님께서 '마태복음 7장 7절'에서 우리, 믿는 모든 사람들에게 이렇게 말씀하셨기 때문이다.

구하라 그러면 너희에게 주실 것이요

찾으라 그러면 찾을 것이요

문을 두드리라 그러면 너희에게 열릴 것이니 _마 7:7

이렇게 주님께서 간절히 기도하면 이뤄주시겠다고 분명하게
약속하셨고, 그분이 어린 영혼들에게 복음의 빛을 비춰주시기를
열망하고 계신 것도 확실한데, 주님의 나라를 위해 일하려는 내가
두려워하고 주저할 이유가 뭐가 있을까? 나는 아무 망설임 없이
유치원 청사진을 그리고 필요한 예산을 세웠다. 그리고 하나님께
유치원 청사진을 들이밀면서 아주 대담하게 기도했다.

"하나님, 이 그림 보이시죠? 7억 원 예산 나왔습니다!"

하나님께서 주신 기회를 잡다

나는 본석석으로 하늘 문을 세차게 두드리기 시작했다. 미국
의 단미션 사무실에서 유치원 설립을 위한 기도회를 시작한 것이
었다. 당시 그곳에서 열방중고등학교를 위한 기도회가 정기적으
로 열리고 있었는데, 일단은 그 기도회에 참석하는 사람들이 유치
원 기도회에도 참석해주었다. 우리는 함께 모여서 마칠칠 정신으
로 하늘 문을 세차게 두드리며 하나님께 떼를 썼다.

그런데 기도회가 계속되면서 참석 인원이 한 명씩 두 명씩 늘

어나기 시작했다. 그러던 어느 날 유치원 원장님 한 분이 아는 사람을 통해 우리 기도회 소식을 듣고 기도회에 참석했다가 감동을 받았다. 하나님께서 그 분의 마음에 열방유치원에 대한 소망을 심어주신 것이었다.

그 원장님은 중국에 와서 우리 학교를 한번 방문하고 싶다고 했다. 그러다가 2005년 6월 1일, 정말 우리 학교를 방문했다. 그날은 중국의 어린이날인 '아동절'이기도 해서 그 분의 방문은 매우 특별했다.

나는 학교만 보여드리고 그냥 그 분을 보내기에는 뭔가 아쉽다는 생각이 들었다. 하나님께서 원하시는 일이 따로 있는 것 같다는 생각이 계속 들었다. 그래서 그 일이 뭘까 생각해보다가 또 한 번 믿음의 첫발을 떼기로 했다.

'그래! 저 분이 도와줄지 안 도와줄지도 모르겠고, 지금 눈에 보이는 것이 아무것도 없지만, 우선 유치원 기공식부터 하자!'

나는 믿음이 '타이밍'과 관련이 깊다고 생각한다. 하나님께서 주신 기회를 잡는 것, 그것 또한 믿음인 것이다.

그렇게 해서 그 분과 열방학교 교사들이 유치원 터에 가서 기공 예배를 드렸다. 중고등학교 건물과 기숙사를 짓고도 학교 부지는 여유가 있어서, 우리에게 다른 것은 아무것도 없지만 유치원 터는 있었다. 우리는 기공 예배를 드리고 기념으로 유치원 터의

흙을 한 삽씩 떠냈다. 어느덧 나의 전공은 화학공학이 아니라 '기공 예배 후 삽질'로 변해 있었다.

그런데 기공식 후 그 분이 미국으로 돌아가서 아는 분을 모두 초청해 열방유치원 후원의 밤을 열었다. 나도 그 자리에 초청되어 사람들에게 하나님의 비전을 나누었다. 그리하여 그날 밤 모인 돈이 거의 4천만 원이 되었다. 그 돈이 종잣돈이 되어 유치원 공사를 시작하게 되었으니, 마칠칠 정신과 타이밍을 놓치지 않는 믿음이 절묘하게 이뤄낸 결과였다. 물론 모든 일이 하나님의 은혜로 가능했다.

하나님의 뜻이라면 만장일치로

그런데 어느 날 남가주사랑의교회에서 연락이 왔다.

"최하진 선교사님이시죠? 저희 교회가 앞으로 장기적으로 같이 일할 수 있는 선교단체가 어디 있을까 쭉 알아봤는데, 그중에 최 선교사님이 하시는 사역이 참 좋은 것 같습니다. 아이들을 주님의 말씀으로 교육한다는 게 정말 중요하지 않습니까? 우선 저희 교회에 한번 오셔서 사역 얘기를 들려주시면 어떻겠습니까?"

나에게는 더할 나위 없이 기쁜 소식이었다. 나는 교사로 헌신한 내 제자 두 명을 데리고 곧장 미국으로 떠났다. 그리고 우리 셋은 남가주사랑의교회 예배시간에 성도들 앞에서 그동안 하나님께서 열방학교를 어떻게 인도해오셨는지에 대해 간증을 나누었다. 나는 하나님께서 그 성도들과 우리를 서로 엮으시는 것을 느꼈다. 나는 그들과 연결되기를 바라고, 하나님께서는 서로를 연결해주기를 원하시니, 그 일이 이루어질 수 있도록 우리가 할 수 있는 최선의 노력을 다해야겠다고 생각했다.

그날 저녁 나는 밤늦도록 열방유치원 종합 계획과 동역 제안서를 한눈에 보기 쉽게 열심히 만들었다. 그 교회의 담임목사님인 김승욱 목사님이 다음 날 아침식사에 우리를 초대하셨기 때문에, 그때를 위해 만전(萬全)의 준비를 한 것이었다.

다음 날 아침, 나는 식사 자리에서 김 목사님에게 동역 제안서를 보여드리면서 말했다.

"저희는 목사님과 함께 일하고 싶습니다. 이 제안서는 순전히 남가주사랑의교회와 동역할 생각으로 만든 것으로, 혹시 목사님께서 동역을 거절하시더라도 다른 교회에는 절대 보여주지 않겠습니다. 그러니 교회에서 검토해보시고 최종 결정을 알려주시기 바랍니다. 저희는 예스(yes)도 좋고 노(no)도 좋습니다. 하나님의 예비하심을 믿기 때문에, 남가주사랑의교회가 아니라면 하나님께서 다른 곳을 예비해두셨을 것으로 믿겠습니다."

남가주사랑의교회에서 최종 결정을 내리기까지 나는 여러 번 그 교회에 가서 우리 사역에 대해 설명해야 했다. 교회에서는 동역 문제를 놓고 의견이 분분한 것 같았다. 나는 마지막으로 그 교회 장로님들 20명이 모이는 당회에 가서 유치원에 대한 비전을 나누었다. 장로님들은 찬반 의견을 투표하여 다수결로 결정을 내리겠다고 하셨다. 그러나 나는 마음속으로 하나님께 이렇게 기도했다.

'하나님, 만약에 하나님께서 이 교회를 우리에게 붙여주기를 원하신다면, 장로님들이 만장일치로 찬성해주셨으면 좋겠습니다. 성도들이 정성으로 낼 귀한 헌금을 저희 유치원에 보내주기로 결정하는 중요한 자리에서, 어떤 사람은 찬성하고 어떤 사람은 반대하여 다수결 원칙으로 저희 제안서가 통과되는 것을 원치 않습니다.'

그날 밤 남가주사랑의교회 선교위원장으로부터 연락이 왔다. 한 사람도 반대하지 않고 만장일치로 유치원을 지원하기로 결정했다는 소식이었다. 나는 내 기도를 들어주신 하나님께 영광을 올려드렸다.

그렇게 많은 분들의 지원으로 유치원 공사도 이제 거의 마무리 단계에 이르렀다. 나는 벌써 유치원에 헌신할 교사들을 모아 기도와 말씀으로 준비시키며 설레는 마음으로 어린 새싹들을 기다리고 있다.

새롭게 맡겨주신 20만 영혼들을 위하여

하나님은 정말 놀라우시다. 허허벌판이었던 이곳에 아무도 들어오려고 하지 않을 때 우리 학교를 이 땅 중심에 딱 집어넣으시더니, 그 주변에 대학들을 보내주셨다. 현재 우리 학교 옆으로는 22개 대학들이 들어와서, 오후 시간이 되면 대학생들이 거리에 즐비하게 쏟아져 나온다. 이제 곧 이곳은 대학생만 20만 명이 모이는 대단위 교육지역이 될 것이다.

그런데 나는 주변의 대학들을 바라볼 때마다 이런 생각이 들었다.

'우리 학교 주변에 대학생만 20만 명이라…? 하나님께서 이들의 영혼도 우리에게 맡겨주신 게 아닐까? 대학생을 위한 사역도 준비해야 하지 않을까?'

그때부터 나는 이곳 대학생들에게까지 복음을 전할 수 있도록 하나님께서 지혜를 부어주시기를 기도했다. 그러던 중 대학생들에게 문화적으로 접근할 수 있는 카페를 만들면 좋겠다는 마음을 하나님께서 불어넣어주셨다.

나는 이번에도 돈이 하나도 없으면서 카페 할 자리부터 찾아다니기 시작했다. 그리고 주변 대학교 캠퍼스들을 돌아다니면서 '하나님, 이 학교를 우리 손에 접수하게 도와주소서' 하고 기도했다. 그러다가 마침내 카페 하기에 좋은 3층짜리 건물 하나를 발견했다. 내 눈이 틀리지 않은 게 확실한 듯, 그 건물 바로 옆으로 유명 패스트푸드점이 들어왔다. 상업적으로는 그곳이 목이 좋다는 증거였다. 전도를 위해서는 그곳이 학생들을 많이 만날 수 있는 지점이라는 것이 입증된 셈이었다.

나는 그 건물을 카페로 쓸 수 있도록 해달라고 하나님께 기도했다. 건물 구입비로 3억 원, 인테리어 비용으로 1억 원 정도가 필요할 것 같았다. 그때부터 나는 또 '마칠칠 정신'으로 시도 때도 없이 하늘 문을 두드리며 하나님께 소원을 아뢰기 시작했다.

그러다가 2007년 10월, 캘리포니아에 사는 한 기업가가 우리 학교를 방문했다. 그는 몇 개월 전, 그가 다니는 교회의 선교부 모임에서 나를 만난 적이 있었다. 그 선교부는 한 달에 한 번씩 나라를 바꿔가면서 그 나라의 선교 현황을 공부하는데, 마침 중국에 대한 공부를 할 때 중국 선교사로 나를 초청했다. 그 기업가는 그 자리에서 우리 학교에 대한 이야기를 듣고는 희망시에 꼭 한번 가보고 싶다고 생각했다고 한다.

나는 그에게 우리 학교를 구경시켜준 후 학교 주변을 함께 산책했다. 그리고 우리가 사고 싶은 그 건물 앞에 이르러 저 건물을 카페로 삼아 대학생들에게 문화적으로 접근해 복음을 전하고 싶다는 비전을 나누었다.

얼마 후 내가 다시 미국에 갈 일이 있었는데, 그 기업가가 만나기를 청했다. 약속 장소에서 그는 반가운 얼굴로 내게 물었다.

"희망시를 다녀온 후 제가 아내와 함께 기도를 했는데, 하나님께서 그 카페에 대한 마음을 주셨습니다. 그 카페를 하려면 얼마나 들겠습니까?"

"자세히는 모르겠지만, 건물을 사는 데 3억 원 가까이 들 것 같습니다."

"아! 그래요? 제가 아내와 기도한 금액이 딱 3억 원인데. 그리고 인테리어 하는 데 비용이 1억 원 정도 더 들 것 같아서 총 4억 원을 헌금하기로 기도했습니다."

'아!'

나는 그때 얼마나 소름이 끼쳤는지 모른다. 하나님께서 어쩌면 그렇게 정확하게 역사하시는지 너무나 놀라웠기 때문이다. 실제로 그 카페를 여는 데 필요한 예산을 정확하게 짜보니 거의 4억 원이 나왔다.

그리하여 그의 귀한 헌금으로 이제 곧 대학생을 위한 문화 카페가 문을 열게 된다. 나는 그 건물을 2층까지는 카페로 쓰고, 3층은 앞으로 전도 받은 학생들이 성경공부를 하거나 예배를 드릴 수 있는 비밀 공간으로 만들었다. 나를 통한 주님의 꿈이 또 하나 실현된 것이다. 앞으로 그 공간을 통하여 청년들의 마음을 움직이실 주님의 역사를 기대한다.

청소부 겸 수위 아저씨

주님께서는 주님의 일을 이루어가시기 위해 사람들을 감동시키셔서 나와 동역하게 해주셨다. 나는 지금까지 주님께서 내게 주님의 사람들을 붙여주신 일을 떠올리면 놀랍기 그지없다. 그리고 그동안 살아 계신 하나님을 경험해왔기 때문에 이제는 어떤 상황에서나 주님께서 하실 일을 기대하고 꿈꾸게 된다. 주님께서 구체적으로 어떻게 역사하실지 나는 알지 못하지만, 분명히 주님께서 주님의 나라를 위해 일하실 것을 믿기 때문이다.

예전에는 내가 알아서 나의 일정표를 꽉꽉 채웠다. 그러나 계획이 너무 지나치면 오히려 주님께서 일하실 공간이 남지 않는 것 같다. 그래서 요즘은 일정을 조금 여유 있고 융통성 있게 짠다. 그러면 그 사이사이 시간에 주님께서 예상치 못한 만남을 허락하실 때가 많다.

여유 시간에 나는 앞으로 내가 카페에서 해야 할 일에 대해 생각해본 적이 있다. 사람들은 워낙 내가 새로운 도전을 잘하다 보니 이제는 '바리스타(커피를 만드는 전문가) 최'로 제2의 인생을 사는 것 아니냐고 우스갯소리를 하기도 한다. 그러면 나는 이렇게 답한다.

"아니요. 저는 거기 청소부가 될 거예요."

사실 열방학교 안에서 내가 주로 하는 일도 화장실 청소와 휴지 줍기이다. 학교 밖에서는 학교를 위한 선교 동원가로 미국과 한국 등을 바쁘게 오가고 있지만, 학교 내에서는 청소가 딱 내가 할 일이라고 생각한다. 솔직히 학교에서 내 별명이 '수위 아저씨'이다. 별다른 공식 직책도 없이 이 일 저 일 잔일을 하다 보니 붙은 별명이다. 그렇지만 젊을 때 가졌던 '나집사'나 '광팔이'보다 얼마나 의미 있는 별명인지 모른다. 나에게 딱 맞는 별명을 찾아주신 하나님께 감사할 따름이다.

지금 열방학교를 운영하는 일들은 젊은 교사들이 알아서 잘 해나가고 있다. 그들이 앞에서 열심히 뛰어준 덕분에 나는 또 새로운 비전을 찾아 나설 수 있다.

쓰촨성에 하나님의 빛을

"너희도 알겠지만, 나는 이 학교에서 아주 적게 10퍼센트 정도의 리더십을 발휘하고 있다. 하지만 앞으로 10년 이내에 내가 그 리더십마저 전혀 발휘하지 않도록 만들어주길 바란다. 리더십은 모두 너희의 몫이다. 그러나 그렇게 되었을 때에도 너희는 여기서만 머무를 생각을 하지 마라. 우리의 비전은 이 학교 하나에 그치는 것이 아니라 두 번째, 세 번째, 네 번째 학교를 계속 만들어가는 것이다!"

얼마 전, 열방학교의 교사로 봉사하고 있는 나의 제자들 앞에서 나는 우리의 비전을 다시금 상기시켰다. 학교가 자리를 잡아가면서 행여 안일한 생각이 들까봐 믿음의 선배로서 우리가 나아갈 방향을 제시한 것이었다.

실제로 나의 눈은 이제 두 번째 학교를 바라보고 있다. 내 믿음의 눈에는 쓰촨성에 학교가 세워진 것이 보인다. 쓰촨성은 얼마 전에 지진 피해를 입은 곳이다. 나는 지진이 났을 때 특히 학교들이 많이 무너졌다는 소식을 듣고 안타까웠다.

그런데 최근에 한 반도체 회사 사장으로부터 연락이 왔다. 그는 중국계 미국인으로, 중국에 돌아와서 회사를 세워 크게 성공한 기독교인이었다. 그는 이제 쓰촨성에 회사를 더 지으려고 하는데, 그때 사원들을 위한 아파트를 함께 지으면서 그 옆쪽으로 교회와 학교를 세우고 싶어 했다. 그는 우리 사역을 후원하는 미국의 한 교회로부터 열방학교 이야기를 듣고는, 쓰촨성에 학교를 짓는 일에 우리와 동역하기를 원했다.

이제 쓰촨성에 학교와 교회가 세워지면 지진으로 땅이 황폐해지고 민심이 흉흉해진 그곳에 하나님의 복음이 들어가 빛을 발할 것이다. 그 일에 내가 쓰임 받게 되었음을 하나님께 감사드리며, 중국을 비롯한 아시아에 복음이 있는 학교를 짓는 일을 시작하시고 그 일을 이뤄가시는 우리 하나님을 찬양하고 싶다.

땅 끝까지 주님과 함께

나는 하나님께서 내 마음에 두신 거룩한 열정의 불이 꺼지지 않기를 원한다. 나는 열방학교 하나에 만족할 수가 없다. 또 내 제자들의 헌신만으로도 만족할 수 없다. 나는 열방중고등학교 졸업생들을 데리고 중동(中東) 지역에 가서 중국어로 가르치는 학교를 만들고 싶다.

나는 중국의 그리스도인들이 하나님께서 중동(中東) 선교에 쓰시기에 아주 좋은 그릇들이라고 생각한다. 중국과 중동이 드러내놓고 선교를 하면 위험하다는 정치적 상황이 비슷하므로, 중국의 지하교회 모델이 중동 선교에 잘 맞을 것이라 생각한다.

하나님께서 지금 중국에 기름 부어주시고, 많은 사람을 깨워주시고 일으켜주시는 이유가 불교권과 모슬람권에 복음을 전하라는 사명을 주시기 위함이 아닐까? 중국인들이 복음을 전하러 서쪽으로 서쪽으로 갈 때 나도 함께 가서 중동이나 예루살렘에서 나의 생애를 마치고 싶다. 그들과 함께 주님의 학교를 세우면서 저 예루살렘까지 가고 싶다. 나는 내 마음속 불을 꺼뜨리지 않고 그곳까지 주님과 함께 갈 것이다. 주님께 인생을 걸었으니, 주님께서 다 책임져주실 것이다.

chapter 14

주님께 전부를 올인하고
온몸으로 은혜를 체험하라

새들의 왕으로 불리는 독수리가 그 넓은 날갯짓으로 창공을 유유히 나는 모습을 본 적이 있는가? 만약 도시에서만 살았다면 텔레비전이나 동물원에서나 독수리를 보았을 테지만, 하늘을 가로지르는 독수리를 직접 본 사람이라면 그 기백(氣魄)에 오랫동안 하늘에서 눈을 떼지 못했을 것이다.

하나님은 하나님 백성의 기상을 독수리에 비유하셨다.

오직 여호와를 앙망하는 자는 새 힘을 얻으리니
독수리의 날개 치며 올라감 같을 것이요 _사 40:31

좋은 것으로 네 소원을 만족케 하사

네 청춘으로 독수리같이 새롭게 하시는도다 _시 103:5

이와 같이 참된 그리스도인은 독수리와 같이 거침없이 넓고 큰 기개를 가진다.

그러나 오늘날 많은 그리스도인들이 어떻게 살아가고 있는지 생각해보면 나는 안타깝기 그지없다. 창공을 날아야 할 독수리들이 알아서 동물원 우리에 들어가 따뜻하고 편한 곳을 떠나기 싫어하니, 그렇게 세월을 보내는 가운데 독수리 날개와 부리가 다 퇴화해 병아리가 되는 것은 아닌지 모르겠다.

나는 내가 다른 사람들에게 어떤 메시지를 전할 만한 자격이 있다고 생각하지 않는다. 그러나 우리 주님의 마음을 생각하면, 이렇게 외치지 않을 수 없다. 이것은 나의 목소리라기보다는 이미 선지자들을 통하여 우리가 독수리와 같은 기상을 가진 하나님의 백성임을 선언하신 주님의 마음일 것이다.

"당신은 병아리가 아니고 독수리입니다! 고양이가 아니라 사자입니다!"

더 안타까운 사실은, 자신의 정체성을 망각하여 자신이 있어야 할 자리를 모르는 사람은 삶의 목표 또한 상실한다는 것이다. 전(前) 하버드대학교 총장이었던 나단 푸시(Nathan Pusey)는 "오늘날 젊은이들에게는 흔들 수 있는 깃발, 부를 수 있는 노래, 믿을 수 있는 신조(信條), 따를 수 있는 지도자가 필요하다"라고 말했다. 우리 그리스도인들에게도 영원히 흔들어야 할 깃발, 줄기차게 불러야 할 노래, 생사 간에 믿어야 할 신조, 영원불변토록 따라야 할 지도자가 있다. 바로 주님이시다. 목숨을 걸 분명한 목표가 우리에게는 있는 것이다.

네 마음을 다하고 목숨을 다하고 뜻을 다하여
주 너의 하나님을 사랑하라 _마 22:37

나는 마음을 다하고 목숨을 다해 주 나의 하나님을 사랑하기로 결단했다. 주 하나님을 사랑하게 되었을 때, 주님이 사랑하시는 다른 영혼들도 사랑하지 않을 수 없었다. 그리하여 중국 땅의 믿지 않는 영혼들을 위해 이곳 희망시까지 독수리처럼 날아왔다. 나는 믿음의 깃발을 흔들며 내 인생을 주님께 걸었다.

하나님의 지원과 복이 따르는 길

나는 주님께서 내게 비전을 주셨듯이 모든 그리스도인들 각자에게도 정말 귀한 비전을 허락하셨을 것으로 확신한다. 다만 그 비전을 받았으면서도 기꺼이 주님의 뜻을 실현하지 못하고 있는 사람이 있을 줄 안다. 그런 사람들도 모두 주님이 주신 비전을 찾아서 믿음으로 주님께 인생을 걸고 주님만을 믿고 살아가기를 바란다. 우리의 믿음을 주님께 증명하기를 간절히 기대한다.

그러나 요즘 사람들은 주님이 주신 비전이 아니라 성공과 부(富)에 관심이 집중된 것 같다. 서점에 가보면 어떻게 성공할 수 있는가, 어떻게 하면 돈을 많이 벌 수 있는가에 초점을 맞춘 책들이 가장 인기가 높다.

실제로 취업을 앞둔 대학생들에게 "어느 직장에 취업하고 싶은가"라는 질문으로 여론조사를 했는데, 한결같이 "돈 많이 주는 직장"이라고 답했다고 한다. 이렇게 돈을 사랑하는 풍조는 신앙이 있고 없고를 떠나서 모든 세대에 만연해 있다.

그러나 예수께서는 자신이 직접 목수로서 가난한 생활을 하며 빈곤한 삶의 고충을 뼛속 깊이 느끼셨으면서도 우리가 어떤 일을 해야 하는지, 그리고 어떤 일에 하나님의 지원과 복이 따르는지를 분명히 가르쳐주셨다(돈의 위력을 뼈저리게 절감한 분이 돈보다 귀한 그 무엇을 추구하라고 가르쳐주셨다).

무엇을 먹을까 무엇을 마실까 무엇을 입을까 하지 말라
이는 다 이방인들이 구하는 것이라
너희 천부께서 이 모든 것이
너희에게 있어야 할 줄을 아시느니라

너희는 먼저 그의 나라와 그의 의를 구하라

그리하면 이 모든 것을 너희에게 더하시리라 _마 6:31-33

너희를 위하여 보물을 땅에 쌓아 두지 말라

거기는 좀과 동록이 해하며

도적이 구멍을 뚫고 도적질하느니라

오직 너희를 위하여 보물을 하늘에 쌓아 두라

거기는 좀과 동록이 해하지 못하며

도적이 구멍을 뚫지도 못하고 도적질도 못하느니라 _마 6:19,20

하나님나라와 하나님의 의를 구하며, 보물을 하늘에 쌓는 일을 하면 하나님께서 승리를 보장하신다. 그렇게 할 때 먹고 마시고 입는 것을 더해주신다고 주님께서는 분명히 약속해주셨다.

이 약속의 말씀의 증인이 바로 나이다. 나는 내 꿈이 아니라 하나님의 꿈을 가지고 나아갈 때, 내 나라를 일구기 위해서가 아니라 하나님나라를 이루기 위해 나아갈 때에 돈이 없거나 돕는 사람들이 없어서 원하는 일을 이루지 못한 적이 없다.

물론 때로 하나님의 정하신 시간이 아직 이르지 않아서 내 생각보다 일이 천천히 진행된 적은 있지만, 중국에 온 이후 지난 15년 동안의 삶을 돌이켜볼 때, 주님께서는 그분께 인생을 올인한 내게 돈과 사람과 기회를 다 붙여주셨다. 아마 여기까지 이 책을 읽어온 독자라면, 내 인생에 나타난 하나님의 공급하심에 대해서 의심할 수 없을 것이다.

내 꿈인가? 하나님 꿈인가?

나의 자아를 실현하기 위해, 즉 내 꿈을 성취하기 위해 중국에 갔다면, "이 모든 것을 더해주시는"(마 6:33) 하나님의 공급하심을 체험하지 못했을 것이다. 나는 내 꿈이 아니라 하나님의 꿈, 즉 하나님의 비전을 실현하는 하나님의 대사(大使)로 중국에 파견되었으므로 하나님께서 돈과 주님의 일꾼들을 공급해주신 것이다.

주위를 둘러보면, 많은 그리스도인들이 '왜 나는 하나님께서 도와주시지 않는 걸까?' 하고 낙심한다. 만약 당신도 그렇다면, 혹시 자기 자신의 꿈을 하나님의 꿈으로 가장한 것은 아닌지 돌아보라고 권고하고 싶다.

당신이 가진 꿈이 정말 하나님의 꿈인가? 혹시 자아를 실현하고 싶은 꿈은 아닌가? 당신이 자신의 삶에서 이루고자 하는 나라는 당신이 주인 노릇 하는 나라인가, 아니면 하나님께서 주인이 되시는 나라인가? 세례 요한처럼 "그(예수님)는 흥하여야 하겠고 나는 쇠하여야 하리라"(요 3:30)라는 자기부인(自己否認)의 나라를 꿈꾼다면, 당신의 꿈에 하나님의 공급하심이 따라붙을 것이다.

그러니 당신의 꿈과 비전을 불꽃같은 눈을 가지신 하나님 앞에서 점검해보길 바란다. 그래서 만약 그 꿈이 자신을 위한 것이라면 꿈에서 깨어나고, 하나님 꿈이면 그 꿈을 붙들고 믿음의 현장에 서길 바란다.

영원한 것에 인생을 걸어라

다시 강조하지만, 우리가 하나님께 구해도 받지 못하는 까닭은, 하나님과 하나님나라가 아니라 자신의 욕심을 위해서, 또 자아의 왕국을 구축하기 위해서 기도하기 때문이다.

구하여도 받지 못함은
정욕으로 쓰려고 잘못 구함이니라 _약 4:3

오늘 당신은 무엇을 구하며 살아가는가? 당신이 흔들 깃발을 발견했는가? 당신의 목숨을 걸어야 할 일을 찾았는가?

나는 당신이 어디에 당신의 하나밖에 없는 인생을 거는지 참 궁금하다. 혹시 이런 데 인생을 걸고 있는 것은 아닌가? 고액 연봉의 대기업, 고급 아파트의 전망 좋은 집, 번쩍거리는 명패가 앞에 놓인 높고 큰 의자…?

이는 세상에 있는 모든 것이

육신의 정욕과 안목의 정욕과 이생의 자랑이니

다 아버지께로 좇아 온 것이 아니요

세상으로 좇아 온 것이라

이 세상도, 그 정욕도 지나가되

오직 하나님의 뜻을 행하는 이는 영원히 거하느니라

_요일 2:16,17

우리가 순간적인 것에 우리 인생을 걸어야 할까, 아니면 영원한 것에 우리 인생을 걸어야 할까? 나는 영원을 붙들기 위해, 잠시 잠깐의 땅의 성공이 아니라 영원한 하늘의 승리를 얻기 위해 내 인생을 주님께 걸었다. 그리고 그렇게 했을 때 중국의 광활한 벌판에서 이루어지는 하나님의 표적과 기사(奇事)를 목격했다.

나는 이 표적과 기사의 세계로 믿음의 형제인 당신을 초대하고 싶다. 전능하신 하나님께서 우리 인생에 개입하셔서 그분께는 기적이 아니지만 우리 눈에는 기적인 그 놀라운 일들을 이루시도록, 우리 모두가 자기 자신이나 세상이 아니라 오직 주님께 인생을 걸기 바란다. 그러면 구하고 찾고 두드리는 대로 이루어지는 하나님의 역사(役事)를 체험하게 될 것이다.

부르시는 그곳에서

주님께 인생을 건다고 해서 반드시 나처럼 외국에 선교하러 가야 한다는 뜻이 아니다. 하나님께서 우리 한 사람 한 사람을 부르시는 그 장소에서 그 부르심에 순종하면 된다. 많은 경우에 하나님의 부르심이 있더라도 현실적인 이해득실을 따져 하나님의 부르심에 귀를 막는다. 그러나 그렇게 하지 말고 하나님의 세미한 부르심을 경청하고 그 부르심의 자리에 서길 바란다. 지금 당장은 손해 보는 결단을 한 것 같지만, 그 결단에는 "이 모든 것을 더해 주시는" 하나님의 지원이 따른다.

지금 당신이 있는 자리에서 영혼을 살리는 일에 눈을 뜨기 바란다. 죽어가는 영혼들의 부르짖음이 있는 곳에 귀를 기울이기 바란다. 그리고 주님만 의지함으로 넘실대는 요단강 물에 발을 디딜 수 있는 믿음의 담력을 기르기를 바란다. 그렇게 용기를 가지고 현상에 서서 불가능 앞에서도 기죽지 말고 주님의 이름을 부르자. 주님께 전부를 건 자의 인생을 책임져주시는 주님을 체험하자.

주님께 인생을 건다는 것

그렇다면 주님께 인생을 건다는 것은 구체적으로 무엇을 말하는 걸까? 나의 지난 경험을 비추어 몇 가지를 이야기해보려 한다. 주님께 인생을 거는 것은 곧 우리의 '믿음'을 주님께 보이는 것이다. 그래서 나는 믿음을 의미하는 영어 단어 'FAITH'의 5개 알파벳을 이용하여 주님께 인생을 건다는 것의 의미에 대해 설명하겠다.

첫째, F – Fire! (불)

주님께 인생을 건다는 것은, 하나님께서 우리 안에 주신 거룩한 열정의 '불'을 꺼트리지 않는 것이다. 사도 바울은 "나의 달려갈 길과 주 예수께 받은 사명 곧 하나님의 은혜의 복음 증거하는 일을 마치려 함에는 나의 생명을 조금도 귀한 것으로 여기지 아니하노라"(행 20:24)라고 말했다. 그는 주님께 받은 사명을 마칠 때까지 열정의 불을 꺼트리지 않고 달려 나갔다. 나 또한 중국을 비롯한 아시아 전역의 아이들 마음속에 새벽 여명과 같은 복음의 빛이 들어갈 때까지 내 마음속 불을 꺼트리지 않을 것이다.

둘째, A – Ask! (구하라)

주님께 인생을 건다는 것은, 구해야 할 것을 기도로 구한다는 것이다. 그러나 단순한 기도가 아니라 행동이 따르는 기도를 해야 한다. "구하라 그러면 너희에게 주실 것이요 찾으라 그러면 찾을 것이요 문을 두드리라 그러면 너희에게 열릴 것이니"(마 7:7)라는 '마칠칠 정신' 속에는 "찾고 문을 두드리라"라는 열심 있는 행동이 포함되어 있다. 그러므로 자신의 욕심을 채우기 위해서가 아니라 하나님나라를 위해 구하고 있는 것이 확실하다면, 우리는 구한 것이 이뤄질 줄 믿고 할 수 있는 한 최선을 다해 그 일을 위해 노력해야 한다.

셋째, I - Integrity!(정직)

앞에서도 말했지만 정직은 영적(靈的) 골리앗에 맞서는 나의 물맷돌이자 우리 학교의 물맷돌이다. 주님께 인생을 건다는 것은, 모든 일을 주님께 부끄럽지 않게 정직하게 행한다는 것이다.

의인의 길은 정직함이여 정직하신 주께서
의인의 첩경을 평탄케 하시도다 _사 26:7

넷째, T - Trust!(신뢰)

주님께 인생을 건다는 것은, 하나님만 신뢰하는 것이다. 사람을 의지하면 실망할 수밖에 없다. 그러나 하나님은 언제나 우리 마음을 든든하게 채워주신다.

너의 길을 여호와께 맡기라
저를 의지하면 저가 이루시고 _시 37:5

다섯째, H - Heart! (강한 마음)

여호수아서 1장 6절을 보면 "마음을 강하게 하라 담대히 하라"라는 말씀이 있다. 마음을 강하게 하는 것, 이것이 우리 앞에 놓인 문제의 벽을 뚫는 데 정말 중요하다. 미국의 플랭클린 루스벨트 대통령은 대공황의 위기가 닥쳤을 때 국민들에게 "우리가 두려워해야 할 것은 두려움 그 자체다"라고 외쳤다. 주님께 인생을 건다는 것은, 주님께서 우리를 쓰실 수 있도록 우리의 마음을 강하게 하는 것을 말한다.

주님께 인생을 걸고 믿음으로 날아오르자

한국교회를 보면, 최근 평신도들의 성경연구에 대한 관심이 매우 높아진 것 같다. 그리고 생각보다 많은 성도들이 선교에 대해 관심을 가지고 있는 것을 보았다. 참으로 감사한 일이다. 그렇지만 교회에서 운영하는 성경연구반이나 각종 훈련 코스들이 본래의 취지에서 벗어나서, 창공을 날아야 할 독수리들이 옹기종기 모여 앉아 자기들끼리만 은혜 받는 자리가 되고 있는 것은 아닌지 걱정이 되는 부분도 있다. 우리가 주님의 말씀을 듣고 배우고 은혜 받았으면, 온 유대와 사마리아 땅 끝으로 날아가야 하지 않을까?

잠언을 보면 영적으로 게으른 자에 대한 책망이 나온다. 그는 밀림에 있어야 할 사자가 백주(白晝)에 대로(大路)에 있다고 하면서 현장에 서기를 두려워한다.

> 게으른 자는 말하기를 사자가 밖에 있은즉
> 내가 나가면 거리에서 찢기겠다 하느니라 _잠 22:13

혹시 우리가 그처럼 핑계를 대고 있는 것은 아닐까? 핑계는 그만 멈추고 우리의 현장, 우리의 유대와 사마리아와 땅 끝에 서자.

이제 창공을 나는 독수리로서의 우리의 신분을 확인하자. 아늑한 세상의 침실에서 따뜻하고 편하게 자고 있어도 된다는 꼬드김에 넘어가지 말자. 오늘 나의 유대, 나의 사마리아, 나의 땅 끝을 향해 날개를 쭉 펴고 날아오르자. 내 인생 주님께 걸고 창공을 비상(飛上)하는 영적 독수리들에게 하나님께서 들려주는 약속의 말씀을 듣자.

> 내가 세상 끝 날까지 너희와 항상 함께 있으리라 _마 28:20

> 마음을 강하게 하고 담대히 하라 두려워 말며 놀라지 말라
> 네가 어디로 가든지 네 하나님 여호와가
> 너와 함께하느니라 _수 1:9

온몸으로 하나님을 배워라

지금 열방학교 내 사무실 창문 너머로 새벽 공기를 가르며 귀에 익숙한 노래가 흘러든다. 밖에서 어린 학생들이 잔디밭에 둘러앉아 눈을 감은 채 나지막한 목소리로 찬양을 하고 있다. 나는 저 녀석들이 빨리 컸으면 좋겠다. 저들을 통해 하나님께서 일하시는 것을 보고 싶다.

나는 사랑하는 제자들과 함께 척박했던 이 땅에 복음의 터전을 만들었다. 여호수아처럼 지금까지 하나님만 따라온 우리는 앞으로도 계속 주님께 인생을 걸고 주님께 쓰임 받기를 원한다.

나의 제자들과 이 책을 읽고 있는 모든 그리스도인들에게 믿음의 형제로서 몇 가지 부탁을 하고 싶다.

첫째로, 하나님의 선물들(presents)보다는 하나님의 임재(presence)를 기대하자. 또한 나의 손안에(in hand) 있는 것보다 마음 안에(in heart) 있는 것이 더 중요함을 잊지 말자.

둘째로, 하나님을 향한 절대 신뢰를 잃지 말자. 사람들은 자기의 능력으로 성공하고 싶어 하지만, 우리는 하나님의 능력으로 성공해야 한다. 공부를 많이 했거나 능력이 많은 것이 우리의 자랑거리가 되어서는 안 되고, 또 우리의 지혜를 의지해서도 안 된다. 내적인 순수함이 외적인 힘의 원천이다. 무식하리만치 하나님을 의지하며 나가자.

셋째로, 어떤 일을 결정할 때 반드시 하나님의 뜻을 구하기 바란다. 결단력은 급하거나 느린 성격에서 나오는 것이 아니라 믿음에서 나오는 것이다. 결단력이 있는 사람은 급하게 일을 결정하고 추진하는 사람이 아니라 하나님께 그분의 뜻을 물어보고 그대로 결정하는 사람이다. 하나님에 대한 믿음이 없는 사람이야말로 우유부단할 수밖에 없다. 믿음이 있는 자에게서 용기와 담대함이 발견되는 것이다.

넷째로, 하나님께서 우리의 가장 강력하고 영원한 리더이심을 기억하자. 하나님께서 지금까지 우리를 위해 행하신 일들을 기념하며, 계속해서 우리 인생을 주님께 걸자. 온몸으로 하나님을 배워나가길 바란다.

마지막으로 당신에게 묻고 싶다.

지금 당신은 어디를 향해 가고 있는가?

지금 당신은 어떤 가치를 최고로 여기고 살고 있는가?

지금 당신은 무엇을 얻기 위해 사는가?

지금 당신의 전부를 주님께 걸었는가?

아직 늦지 않았다.

지금 돌이켜 당신의 인생을 주님께 걸어라.

절대 후회함이 없을 것이다.

주님께 인생을 걸고
주님의 꿈을 꾸고…

여기에 기록된 모든 이야기는 나의 이야기가 아니라 하나님의 이야기이다. 나는 아무것도 아니고, 아무것도 한 것이 없다. 하나님께서 다 하셨다. 이 책을 기록함으로써 나는 다만 하나님께서 하신 일들을 잊지 않고 싶었다.

나의 제자들을 처음 만났던 그해 겨울이 떠오른다. 나를 중국까지 오게 하신 하나님, 제자들과의 만남을 이미 창세전(創世前)에 전부 계획해놓으시고, 열방을 향한 우리의 비전까지도 미리 세워놓으셨으며, 지금까지 우리의 사령관이 되어 우리를 인도하신 하나님, 나의 하나님, 우리 하나님, 그 하나님을 찬양한다. 온 맘 다해, 온 힘 다해.

출애굽한 이스라엘의 가나안 드림이 성취되었듯이, 이제 그분의 월드와이드(worldwide) 드림이 곧 이루어질 것이다. 우리, 하나님의 꿈을 바라보며 우리의 꿈에 여명이 비치는 이 영적인 새벽에 소리 높여 외쳐보자.

만방의 족속들아 영광과 권능을 여호와께 돌릴지어다
여호와께 돌릴지어다 _시 96:7

감사의 글

❧

주님의 사역을 하면서 나는 빚만 더 지게 되었습니다. 사랑의 빚 말입니다. 하나님께서 나에게 보내주신 사람의 수는 이루 헤아릴 수가 없을 정도로 많습니다. 이 지면을 빌어 그 중 몇몇 분들에게 깊은 감사를 전합니다.

한바울 목사님, 지금은 베트남 호치민에서 열심히 한인 목회를 감당하시는 청년의 심장을 가지신 나의 양아버님이십니다. 타협하지 않으며 강직하게 주님 사역을 감당하시는 한 목사님, 존경합니다.

유진소 목사님, 단미션 이사장을 쾌히 맡아주시고 하나님의 위대한 일들을 함께 경험해나갔지요. 내가 영적으로 힘들 때 큰 격려를 아끼지 않으심으로 나에게 큰 용기를 주셨습니다. 나의 멘토이십니다.

휴스턴의 최영기 목사님, 우리 부부가 중국에 가기 전에 결정타를 날려주신 분이십니다. 아내가 목사님의 설교로 인해 성령의 불을 받았습니다. 또한 우리가 어려움에서 헤맬 때 격려해주신 것 잊지 않겠습니다.

임마누엘 교회의 한충호 목사님, 따님 테레사까지 중국에 보내주시고, 따님이 열방학교의 교사인 게 가문의 영광이라고 말씀하셨습니다. 우리 학교에서 테레사는 정말 인기 만점의 교사입니다.

오렌지힐의 데이비드 형제님, 내가 가장 깊은 좌절에 빠져 있었을 때, 그 속에서 나올 수 있게 해준 사람, 어떤 감사의 말로도 부족함을 느낍니다.

산호세의 찰스 형제님, 시작부터 동역해주신 분, 온 가족과 함께 매년 중국을 찾아와주시고 사랑을 쏟아 부으시는 조용하면서도 파워가 넘치는 분, 사랑합니다.

LA의 찰스 목사님, 열정이 많으신 찰스 목사님과 대화를 하면 왜 그리 잘 통하는지요. 사모님이 해주시는 차돌구이는 언제나 맛있습니다. 또 기대해도 되겠지요?

단미션 이사로 섬겨주시는 이정희 집사님, 요즘 베트남 선교에 열심이신데, 자리 좀 물색해놓으세요. 그곳에 미션 스쿨 만들 수 있도록….

산호세의 스티븐 집사님, 우리 열방학교 교사들은 이 집사님의 가르침을 절대로 잊을 수가 없습니다. 오늘의 우리가 있기까지 이 집사님의 섬김이 큰 역할을 했습니다. 늘 건강하세요.

애리조나의 이종권 집사님, 매년 열방학교에 오셔서 중국의 바람에 매력적인 흰머리를 날리시며 우리 아이들을 섬겨주셔서 감사합니다.

하와이의 마이클과 친구들, 2003년 겨울부터 빠짐없이 중국에 와서 영어를 가르쳐준 덕분에 북경에서 열린 전국 영어웅변대회에서 우리 아이들이 세 명씩이나 금상을 받았습니다.

재정후원자 여러분, 벽돌 한 장 한 장이 모여 기적이 이루어졌습니다. 하나님 사역에 더 크게 쓰임 받으시는 여러분 되시기를 기도합니다.

교사로 헌신한 수많은 동료들, 말없이 수고하는 나의 동료들, 진심으로 사랑합니다. 여러분은 어느 누구와도 바꿀 수 없는 나의 지체들입니다. 합력이란 플러스가 아니라 시너지라는 것이 우리를 통해 증명됩니다.

아내와 딸에게 감사를 전합니다. 내가 사방팔방 다니느라 가족이 밥 세 끼 제대로 먹는지조차 신경 쓰지 못함에도 불구하고 나를 응원해주어 큰 힘이 됩니다.

특히 부모의 사역으로 누구보다도 많이 희생한 딸에게 미안함과 감사함을 함께 전한다. 이제는 엄마 아빠의 부족함을 오히려 네가 포용해주는구나.

끝으로, 주님께 회사를 걸고 사역하는 규장의 여진구 대표, 김용국 편집국장, 그리고 모든 직원들에게 깊은 감사를 드립니다.

'단미션 선교회'
동역 안내

주의 권능의 날에
주의 백성이 거룩한 옷을 입고 즐거이 헌신하니
새벽이슬 같은 주의 청년들이 주께 나오는도다 _시 110:3

단미션(Dawn Mission) 선교회는 주님을 알지 못해 칠흑 같은 어둠 속에
사는 사람들에게 복음을 전하여 그들의 영적 삶에 새벽(dawn) 여명이 밝아오도
록 돕는 사명(mission)을 실천하는 단체입니다. 새벽이슬 같은 청소년의 복음화
를 위해 해 지는 편 예루살렘까지 주님의 복음의 빛이 필요한 온 땅에 미션 스쿨
을 세우는 '학교 개척 운동'을 주 사역으로 하고 있으며, 그렇게 세워진 학교들
을 통하여 미래 기독교 인재(人材)를 양성하고 있습니다. 현재 중국에 열방유치
원, 열방중학교, 열방고등학교, 열방국제학교를 운영하고 있으며, 곧이어 쓰촨성
에 학교를 개척할 예정입니다. 많은 격려와 중보기도를 부탁드립니다.

단미션 선교회가 설립한 '열방학교'의 비전

More than a School, We are a Family. 학교 이상의, 우리는 가정이다.
More than a Teacher, You are a Shepherd. 교사 이상의, 당신은 목자이다.
More than a Student, You are a Disciple. 학생 이상의, 너는 제자이다.

사역 문의 한국 031-268-1277 / 016-9884-1277 서울시 강남구 역삼동 성우스타우스 418호 단미션
미국 714-287-1262 / 714-292-3170 Dawn Mission, 1815 E.Center St, Anaheim, CA 92805
이메일 dawn@dawnmission.org **후원 계좌** 하나은행 460-910002-14405(예금주:새벽)

네 인생을 주님께 걸어라

초판 1쇄 발행	2008년 12월 22일
초판 2쇄 발행	2008년 12월 31일
지은이	최하진
펴낸이	여진구
편집국장	김응국
기획·홍보	이한민
책임편집	이소현
편집	안수경, 손유진, 강민정, 이영주
책임디자인	이혜경, 서은진 | 전보영, 황은경
해외저작권	최영오
마케팅	김상순, 강성민, 허병용, 이기쁨
마케팅지원	손동성, 최태형, 한기룡
제작	조영석, 정도봉
경영지원	김혜경, 김경희
해피니언	김아진, 최지설, 이수연
이슬비전도학교	엄취선, 전우순, 최경식
303비전성경암송학교	박정숙, 최영배, 이지혜
303비전장학회장	여운학
펴낸곳	규장

주소 137-893 서울시 서초구 양재2동 205 규장선교센터
전화 578-0003 팩스 578-7332 이메일 kyujang@kyujang.com
등록일 1978.8.14, 제1-22

규 | 장 | 수 | 칙

1. 기도로 기획하고 기도로 제작한다.
2. 오직 그리스도의 성품을 사모하는 독자가 원하고 필요로 하는 책만을 출판한다.
3. 한 활자 한 문장에 온 정성을 쏟는다.
4. 성실과 정확을 생명으로 삼고 일한다.
5. 긍정적이며 적극적인 신앙과 신행일치에의 안내자의 사명을 다한다.
6. 충고와 조언을 항상 감사로 경청한다.
7. 지상목표는 문서선교에 있다.

하나님을 사랑하는 자 곧 그 뜻대로 부르심을 입은 자들에게는 모든 것이 合力하여 善을 이루느니라(롬 8:28)

규장은 문서를 통해 복음전파와 신앙교육에 주력하는 국제적 출판사들의
협의체인 복음주의출판협회(E.C.P.A:Evangelical Christian Publishers
Association)의 출판정신에 동참하는 회원(Associate Member)입니다.